에밀과 소피

교육론
- 루소의 에밀을 넘어서-

에밀과 소피

발 행 | 2021년 02월 11일

저 자 | 김광종

펴낸이 | 김광종

펴낸곳 | 나라와 義

출판사등록 | 1996.01.16.(제321-1996-81호)

전 화 | 02-2282-0291

이메일 | irparty@hanmail.com

나라와 義 계좌 | 하나은행 188-910551-25907

ISBN | 978-89-961429-2-8

www.irshow.com

에밀과 소피
- 루소의 에밀을 넘어서-

김광종 지음

목 차

서문 : 에밀과 소피 ···································· 11

서론 : 교육 정책 총론 ······························ 16

1. 나의 다양한 교육 경험에 관하여 ············ 23

2. 사립대 경영 참여 이야기 ····················· 29

3. 발달 장애 학교 교장 시절 이야기 ·········· 33

4. 생존 교육 ··· 36

5. 교회 교육 ··· 38

6. 부부 사이가 좋은 것, 부부 일심의 위험성 ······ 40

7. 빈곤 학생 등록금 및 생활비 후불제 도입 (인재양성지원) 42

8. 잠자기 전에 기도를 그리고 체조를 ········· 45

9. 육체의 연습, 경건의 연습 ···················· 46

10. 삶의 목적이 같은 사람과 많은 시간을 보내야 한다 ······· 46

11. 동네 아이들과 놀기 ·························· 48

12. 아이가 다쳤을 때 반응 ····················· 48

13. 책장의 책 찾기 놀이 등 여러 놀이 ········ 49

14. 아기의 머리 감기기와 세수 ················· 49

15. 아빠의 선물 ·································· 50

16. 술 ··· 52

17. 낙태죄는 폐지되어야 한다 ················· 57

18. 마라톤에서의 나의 실수 ··················· 60

19. 청년의 때 경계해야 할 것들 ··············· 65

20. 청소년기의 여러분의 귀중한 경험 공유 ········· 66

21. 수능,, 그리고 희망.. ·· 68

22. 영어 공부 ·· 70

23. 읽기, 말하기, 듣기, 쓰기의 중요성 ························· 71

24. 삐지는 것의 어리석음 ·································· 71

25. 인문 사회 자연과학 공부하기 ························· 72

26. 시험 준비 ··· 74

27. 오리엔테이션 참가 중요 ······························· 74

28. 학기 중에는 학업에 집중해야 ······················ 75

29. 성매매를 하게된 원인은 생활비 마련 때문이었다 ········· 76

30. 청소년 고용 티켓다방 전국적으로 성행 ············· 80

31. 청소년 다윗의 정치가적 자질과 여러분 ··············· 83

32. 희생해야 할 때와 내 길을 가야 할 때 ············· 89

33. 대학의 전공 선택 ······································· 89

34. 실연의 좌절이 있을 때 ······························· 91

35. 대학 입시에 낙방한 청소년을 위해 ················ 91

36. 황금알을 낳는 거위를 잡아먹은 들릴라 ············· 92

37. 혼자 있을 때를 삼가라 ································· 93

38. 새 술은 새 부대에! ···································· 93

39. 한 여자 가수와 예수님 ································· 94

40. 초등학교 수학 공부와 관련하여 ···················· 96

41. 소피아가 실패했을 때 ································· 102

42. 소피아의 학문 연구 ··································· 103

43. 인생 채찍과 사람 막대기 ····························· 103

44. 친구 사귀기와 가까이 하지 말아야 할 자 ············ 106

45. 운동과 영양 섭취 ······································· 109
46. 부지런하되 조급하지 않게 ······················· 109
47. 방향을 잘 잡는 것이 중요하다. ················· 110
48. 애가 애를 낳는다 ··································· 111
49. 하나님 앞에서 자녀 교육 ························· 113
50. 공존 중심의 교육의 효과 ························· 115

51. 아담과 이브, 그리고 에밀과 소피아 ··········· 118
52. 남자와 여자의 만나기 ····························· 120
53. 모르타르가 있어야 ································· 121
54. 사랑은 하나님의 선물 ····························· 122
55. 온전한 사랑은 성령 충만할 때 가능 ··········· 123
56. 현숙한 아내를 얻는 것은 하나님의 선물 ······· 124
57. 어떤 여인이 가장 아름다울까요 ················· 125
58. 어떤 남자가 훌륭한 남편감일까요 ··············· 127
59. 어진 여인은 그 지아비의 면류관이나 욕을 끼치는 여인은
   ·· 127
60. 성(性)과 결혼 ······································· 128

61. 의사면허제도, 남편면허, 아내면허, 부모면허 ············· 133
62. 여호와를 경외하는 이방 여인 룻 ················· 133
63. 현숙한 여인 소피아는 강하고 능력있는 여인이다 ········ 134
64. 달리기와 발레, 그리고 산타기 ················· 140
65. 역할 놀이, 동물 놀이, 모방 놀이 ··············· 141
66. 요리 참여, 그리고 아빠의 집안 일 ············· 142
67. 장단주기 분배와 교육 ····························· 143

68. 누구나 인생엔 자베르가 있다. ·············· 156
69. 눈치를 보고 살게 키워야 한다. ·············· 157
70. 언제 결혼해야 할까 ·············· 158

71. 추위와 더위에 대한 훈련 ·············· 160
72. 남자 보는 눈을 가르쳐야 한다. ·············· 160
73. 하늘을 두려워하는 아이들로 키워야 ·············· 161
74. 부모 공경하는 아이들로 키워야 ·············· 161
75. 아이들에겐 매가 필요한가 ·············· 163
76. 수학 교육의 문제 ·············· 165
77. 어떻게 지혜로운 자녀로 키울 수 있을 것인가 ·············· 168
78. 하루에 세 번 성경 읽기 ·············· 170
79. 화초 물주기 ·············· 173
80. 온돌 기반 상태의 바닥제의 문제 ·············· 173

81. 치아 건강 그리고 생활용품 ·············· 175
82. 책꽂이의 책들은 글자와 생각이다. ·············· 178
83. 악기와 춤과 찬양과 노래 ·············· 179
84. 밥 먹기와 기도 ·············· 179
85. 무술과 군대 ·············· 180
86. 아빠의 집안 일과 깨끗한 화장실 ·············· 181
87. 온 집에 성경 펼쳐두기 ·············· 182
88. 코제트와 팡틴의 보호 ·············· 184
89. 어린 아기에게 모자를 씌우는 것이 좋지 않다. ·············· 189
90. 조기 교육 논쟁 ·············· 190

91. 모래 알 교육, 구조물 교육 ·················· 192

92. 진리 탐구 ···························· 193

93. 인류 역사는 하나님의 인간에 대한 교육의 역사 ········· 195

94. 탁월한 선생님, 좋은 선생님을 만나는 것은 큰 복 ······· 197

95. 공주도 왕위를 계승한다. ···················· 199

96. 왕자에게 王道를 교육해야 한다. ················ 201

97. 사무엘의 모유 시기 ······················ 202

98. 축구 교육 ···························· 203

99. 대한민국은 지식 국가 연구 국가로 지속 성장해야 한다 206

100. 개신교 국가들이 덜 부패한 이유가 있을까 ·········· 207

101. 가난한 사람과 약자 공평에 관심이 적다면 정치하지 말아야
··································· 209

102. 어려서 태권도를 많이 하면 축구 실력이 늘지 않는다 210

103. 우리의 제품이 환경 오염시키지 않느냐는 질문에 ······· 211

104. 우리에겐 백신 연구 인력이 필요하다 ············· 212

105. 선행 학습은 장려되어야 한다 ················· 215

106. 정인의 고난과 죽음 ······················ 216

107. 과도한 경쟁만 문제가 아니라, 불공정한 경쟁과 그 결과물의
지나친 독점이 문제다 ···················· 218

108. 유대인의 성년식과 사춘기 ··················· 219

109. 나의 부모님의 교육 ······················ 221

110. 서남대 의대 국유화 ······················ 224

111. 대모산 둘레를 교육 특구, 대모캠퍼스 즉 개포 일원 수서 세곡
캠퍼스로 만들겠습니다. ················· 225

112. 재정 곤란 사립대 국유화가 필요하다 ················ 228

113. 학교 폭력 ··· 229

114. 버스 정류장 길거리 문고 ···························· 230

115. 대청중학교 과학 시간에 질문하다가 학원에 가서 물어보라는

··· 230

116. 건강보험에서 저소득 가구 의대생 지원해야 ··········· 232

117. 대학 기숙사 국가 건립 ····························· 233

118. 대학 등록금 인하 방안 :교수 요원에게 박사까지 무료 교육

필요 ··· 233

119. 무상 급식이 아니다 ······························· 234

120. 박태환 선수와 과외 ······························· 237

121. 전 고교 기숙사 확대 방안 ························· 240

122. 1만개 도서관을 통한 교육 개혁 ·················· 241

123. 지방 학교부터 고교 입시 부활시켜야 합니다 ··········· 242

124. 가출 청소년, 중퇴 청소년들을 위한 대안 ·············· 244

125. 고교 등급제 ··· 254

126. 영국의 교육정책과 아리랑당 정책 ················· 257

127. 먹든지 마시든지 무엇을 하든지 주를 위하여 하라 ····· 258

128. 인터넷 수능 강의와 관련하여 ····················· 261

129. 결식어린이에 아침도 제공해야 한다 ··············· 267

130. 빈곤 학생 등록금 및 생활비 후불제 도입 (인재양성지원)

··· 269

131. 미운 일곱 살은 잘못된 이야기다 ················· 272

132. 낙태는 대부분 악한 일이다 ······················ 273

133. 밭을 구한 연후에 아내를 ···················· 274

134. 태교: 아빠의 목소리로 성경 읽어주기 ············· 275

135. 기독교는 종교인가? 실제인가? ················ 276

136. 수양의 기름보다 순종이 낫다 ················· 279

137. 낮은 데서 넘어지면 ······················· 280

138. 지도자가 되길 구하는 것에 신중해야 하는 이유 ······· 280

139. 창조와 진화 ··························· 282

140. 종의 기원 – 다윈 ························ 284

141. 다윈은 창조주를 믿었다 ···················· 290

142. 다윈의 종의 기원의 여러 추가적 논점 ············ 291

143. 정치 교육, 선거 교육 ····················· 299

144. 진리에서 돌이켜 허탄한 이야기를 따르리라 ········· 300

서문 : 에밀과 소피

 불우한 어린 시절을 보냈던 루소가 아마도 스스로의 유년기, 청년기를 돌이켜보면서, 그리고 그가 보아왔던 수많은 사례들 속에서(본인이 가정 교사를 했던 때도 많았다.) 어떻게 남자 아이를 양육해야 하는지에 대해 쓴 책이다. 루소의 참회록을 읽고 이 책을 보면 또 다른 측면에서 이 책을 볼 수 있다.

 직접 이론을 적는 형식보다는 에밀이라는 남자 아이와 스승의 이야기를 소설 형태로 적었다.

 칸트 등 수많은 인류의 지성들이 이 책에서 깊은 감명을 받고 그 이론의 토대를 세우기도 한 책이다.

 아이를 키우는 부모들은 꼭 읽어보아야 할 책이며, 청소년들도 어떻게 스스로를 가다듬으면서 성장해야 하는지를 알아볼 수 있는 좋은 책이다.

 에밀은 참으로 강한 남자에 대한 이야기이다.

 세상을 선한 곳으로 변화시키기 위해서는 강하지 않으면 안 되기 때문이다. 그러나 그 강함은 강퍅함이 아니라 불굴의 의지이며, 어떤 상황에서도 돌파력을 발휘할 수 있는 강인함을 뜻한다.

 나는 이 책을 95년도에 읽었다. 그 후로 몇 km 정도는 보통 걸어다닌다.

에밀은 이 정도의 거리는 걷거나 뛰어서 이동한다.

 말을 타지 않게 한다. 인생에서 언제 닥칠지 모르는 위기에 대처하기 위해 이렇게 키운다.

 어려서부터 무용으로 균형잡는 운동을 시키기보다는 산에서 골짜기를 뛰어내려오는 운동을 시키라고 권한다.

 어린이에게 꼭맞는 모자를 씌우지 말라고 한다. 머리가 성장하는 데 도움이 되지 않기 때문이다.

 종교가 없는 사람은 위험하다고 말한다. 방종의 가능성이 높은 사람이기 때문이다.

 모든 여행이 사람을 지혜롭게 만들지 않는다고 말한다. 도시로의 여행은 청년을 타락시킨다고 말한다.

 진정한 여행은 시골로의 여행이며, 자연으로의 여행이다고 말한다. 거기에 가야 때묻지 않은 진실을 맛볼 수 있기 때문에.

 에밀의 여자 친구 소피도 달리기를 잘 한다. 아주 튼튼한 여자 아이다.

 루소는 여자 아이를 남자 과외 선생에게 맡기지 말고 아버지가 직접 가르쳐야 한다고 말한다. 남자는 여자에게 남자일 뿐이라고 본다. 그것이 선생이든 누구든.

 이 책이 주는 용기로 나는 15대 총선에 출마했다.

 그리고 위에 나오는 소피라는 여자 아이, 그리고 아버지가 직접 가르쳐야 한다고 루소가 말한 그 여자 아이를 어떻게 가르쳐야 하는지, 그리고 이것이 자본주의 사회에서 어떻게 확장해서 생각해야 하는지를 고민하면서 이 책 소피아 교육론을 쓴다.

한 아이에 대한 교육만이 아니라, 빈부 격차가 극대화되어가는 자본주의 사회에서 교육을 통해 어떻게 이 문제를 해결할 수 있는지를 고민했다.

생산의 3 요소인 토지 노동 자본은 교육에 다 들어간 것이 현대 자본주의 사회이다. 두뇌는 토지가 되었고, 노동자는 교육을 통해 양성된다. 그리고 미국 등에서 볼 때 거대 자본가가 탁월한 인재들로 바뀌는 일이 벌어지고 있다.

일론 머스크, 빌 게이츠, 제프 베이조스 등 세계 시가 총액 상위 기업들의 창업자들은 이런 교육 속에서 배출된 신흥 자본가들이다.

왜 교육이 자본주의 체제에서 빈부 격차의 문제를 해소할 주요 영역으로서 고려되어야 하는지 잘 보여진다.

그런데 교육 격차가 다시 커지고 있다. 가난한 사람들의 자녀는 교육을 제대로 받지 못하고 고등 교육의 현장에서 스펙이라는 교묘한 틀에 의해서 배제되고 있다.

관료 사회는 로스쿨 등을 통해 충원되는 구조로 점차 바뀌어가고 있다. 빈부 격차가 교육 격차로 이어지면서 양극화가 고착되는 구조가 되고 있다.

따라서 교육 문제를 단순히 개인의 영역, 개별적 영역이 아니라 국가 전체, 또는 세계 전체의 분배 구조의 기초로서 보는 관점이 필요하다.

이 책은 이렇게 루소의 에밀에 대한 고민과 또다른 측면의 고려 그리고 자본주의 사회에서의 교육적 측면들을 고려한 대안 찾기 책이며, 김광종의 다른 책들, 1. 죽은 겨자씨 한 알 - 한국 자본주의의 주체적 조건 발전론 - 2. 장단주기 분배론 - 생활수단 및 생산수단의 장단주기 복합 분배론 - 3. 민주제적 질서 속에서 그리스도 통치론 4. 대한민국 부동산 영구 평화론 등과 함께 하여 총 5권의 책으로서 자본주의 시대의 문제를 해결할 대안으로서 마련된 책이다.

지난 50 여년을 끊임없이 성경과 고전들과 주요 서적들을 읽어가면서 찾은 대안을 부족하나마 이렇게 내어놓고 어두운 이 세상, 정인이가 양모에게 맞아죽고 어린 아이들이 그 부모와 함께 동반 자살의 희생양이 되고, 가출 청소년이 수십만명이 되고 끊임없이 낙태가 이뤄지고, 그 낙태가 이젠 아예 합법화되는 시대에 어떻게 아이들에 대한 교육이 이뤄져야 할 지를 고민한 책이다.

하나님께서 이 책을 사용하셔서, 다섯마디 깨달음 같은 이 책들을 사용하셔서 이 땅의 레미제라블들, 비참한 처지에 놓인 자들, 그리고 그 중 특히 어린이들과 청소년들에게 새로운 희망의 토대가 되게 해주시길 간절히 바란다.

부족한 아빠의 교육에 기꺼이 참여해준 성은이와 성결이, 그리고 나에게 공부를 배웠던 모든 아이들과 이 땅의 모든 학생들에게 이 책을 바친다.

본문의 빈 공간들에 자신의 의견을 적어보고 이를 다시 자녀에게 더해주는 것도 이 책을 활용하는 좋은 방법이다. 리눅스처럼. 그리고 학생들도 이 책을 읽고 자기 생각을 더해서 후에 자신만의 책을 낼 수 있으면 좋겠다.

주여! 도우소서! 루소가 종교가 아이들의 성장에 중요한 요소라고 하였는데, 주여! 도우셔서 이 땅의 가난한고 힘든 아이들을 구하소서!

서론 : 교육 정책 총론

1. 우리가 처한 현실

 교육은 사회의 특성을 반영하고 있어서 사회 변화없이 교육 변화는 불가능하다. 좋은 학교를 나와야 좋은 직장을 얻고 대접받고 결혼을 할 수 있는 사회구조다. 그래서 청소년들은 적성을 개발하지 못하고 입시 위주의 교육에 내몰리게 되며, 낙오한 아이들은 방황하며 탈선의 길을 가며 성공한 아이들도 그 과정에 인격적 왜곡을 입게 되며 불건전한 방법으로 스트레스를 푸는 경우가 많다.

2. 대안

 좋은 학교를 나와야 좋은 직장에 들어갈 수 있고 결혼을 잘 할 수 있는 구조가 바뀌어야 한다. 벤처기업과 중소기업 육성이 필요한 이유가 여기에 있다. 작고 다양한 기업들이 대기업보다 나을 때 청소년들은 학교보다 자신의 소질 개발에 진력하게 된다. 소질만 개발한다면 언제든지 사장이 될 수 있는 구조를 만들어주면 구태여 대학에 갈 이유가 사라진다. 대학 교육은 사회 교육과 재교육을 지원하는 체제와 일반 교육을 제공하는 체제로 이원화되어야 한다.

 벤처기업 등의 다양화가 필요하다. 정보통신 등의 첨단 기업만이 아닌 문화 등의 분야에서도 적극적으로 개발하여 다양한 소질의 청소년들을 흡수하는 기업, 단체들이 생겨나야 한다.

군대도 청소년들을 흡수할 수 있어야 한다. 군대의 선진화를 도모하면 정신력과 체력과 능력을 가진 청소년들이 직업 군인이 될 수 있다.

이런 식으로 여러 배출구를 구상하고 마련해주면서 중고교 교육을 창조적 지식 활동 교육에 초점을 둠과 아울러 체육, 문화, 컴퓨터, 외국어 교육 등을 흥미 위주로 강화하여 성장하는 아이들의 분출구를 열어주어 이들이 성적(性的)으로, 약물로 타락해 가는 것을 방지해야 한다. 미국도 약물 치료를 받는 청소년이 50만에 이른다는 보고는 우리의 미래를 보여준다.

교사 처우를 대폭 개선하여 우수 교사를 확보해야 하며 교사 대비 학생수의 과다 문제를 해결하기 위해 전업주부 등을 활용하여 각종 교육 자원봉사 전문 요원을 양성할 필요가 있다. 대학과 초중고교를 연결한 교육 프로그램 개발이 필요하다. 현재 각 대학들도 이러한 작업들을 많이 진행하고 있는데 정부의 보다 적극적 지원이 요구된다.

기업이나 사회 단체들을 청소년 교육의 현장으로 활용하면 청소년들은 이 사회의 실제적 구조를 터득하게 되면서 적성을 발견하고 흥미 분야를 찾아 자기 개발을 도모하여 그 에너지를 건전한 곳에 사용할 것이다.

대학에 보다 많은 자율권을 부여해야 한다. 사전 규제보다는 사후 평가 체제로 질 관리를 하면 된다. 또한 대학이 국민 교양 교육과 함께 국민 평생 교육의 장이 되어 저렴한 비용으로 언제라도 접근이 용이한 교육 기관이 되도록 해주어야 하며 이럴 때 고 3이 되어 겪는 입시 문제는 보다 쉽게 해결되어질 수 있다. 한편 수준 높은 연구 기관으로서의 위상 제고도 필요하다. 연구 지원과 사후 관리를 통해 21세기 지식 정보 사회의 요람으로서의 구실을 대학이 해낼 수 있도록 해주어야 한다.

3. 인재 양성의 중요성

자원이 부족한 우리로서는 지적 능력과 창조력 그리고 지혜를 가진 인재들을 광범위하게 양성하여 21세기 지식 세계에 대비해야 한다. 천연 자원, 금융 자본보다 인적 자원이 더 대접을 받는 시대가 올 것이다. 아이디어와 기술과 덕성을 갖춘 인재 양성이 미래를 밝게 해줄 것이다. 이를 위해서 연구 개발에 소질이 있는 청소년들을 적극 발굴 지원해주어야 한다. 또한 가정 형편이 어려우나 학습 의욕이 높은 학생들에 대한 지원이 필요하다. 재정 적자를 통해서라도 지원해야 한다. 그러면 이들은 그 비용의 몇 배를 다시 국가에 환원시켜줄 수 있을 것이다.

신학기에 등록하려는 대학생마다 집안 형편에 따라 여러 어려움을 겪는 학생들이 많이 있다. 장기적으로 대학 등록금

전액 국가 지원체제를 마련해야 한다. 특히 의무 군복무 제대 사병들에 대하여는 제대 후 2년에 걸쳐 매월 60만원 정도의 급여를 지급함으로써 이 자금으로 학비 등에 충당할 수 있는 구조를 만들어주어야 한다.

당장은 국가와 대학은 공조하여 빈곤 대학생의 등록금 후불제를 도입할 필요가 있다. 빈곤 대학생이 원하는 경우, 무보증 무이자 형태로 대출해 주고, 학생 신분 중에는 등록금을 내지 않고 다니다가 졸업 후 직장에 취업한 이후에 갚는 제도인데, 그 때도 여전히 가난하거나 취업이 되지 않는 경우에는 등록금 반환을 유예하거나 면제하는 방안이다. 국가는 이 비용의 80%를 부담하고 학교는 20%를 부담한다. 졸업생은 후에 등록금 외에 국가에 세금을 내고, 학교에는 발전 기금을 자발적으로 내는 구조를 만들어내면 된다. 이는 이스라엘의 면제년을 적용한 법이다.

매 7년에 형제가 빌려간 것을 그 형제가 가난한 경우에 탕감해준다. 하나님은 이런 탕감자에게 복을 주신다고 하셨다. 빈곤 학생들이 학생 시절 등록금과 생활비 부담없이 공부에 전념할 수 있는 것은 그 능력 개발에 도움을 주는 것이며, 결과적으로 국가 경쟁력 강화에 도움이 되어 세금 징수 확대를 가져오며, 대학도 인재 배출을 통한 학교 질 제고, 학교 발전 기금 자발적 모금 확대를 도모할 수 있기에 아주 유용한 제도다. 현재 국민 중 30%는 저소득층이기에 20-30%의 대학생 정도는 이 혜택을 받도록 보장하는 것이 요청된다고 본다. 주님은 가난한 이들을 돌보는 이들을 돌보신다.

대학과 국가는 대학 내 기숙사 시설을 확대할 필요가 있다. 빈곤 대학생이 원하는 경우 누구나 무료로 이 시설을 이용하고 등록금 후불제처럼 그 비용은 처리하면 된다. 국가에서는 국채 발행, 대학 교육세 징세 등을 통해 이 비용에 소요되는 기본 자금을 마련할 수 있다.

아리랑당 창추위에서는 이 정책을 기본 정책으로 추진할 계획이다. 이 후불제는 중고등학교에도 당연히 적용되어야 한다. 여기에 소용되는 기금은 국가적으로 약 10조원 정도면 가능하다고 본다. 몇 년의 싸이클을 거치면 이 기금 자체가 확대되어 자체적으로 운영가능하다. 이는 믿음과 사랑으로만 실행할 수 있는 법이다.

만약의 경우 능력이 되는데도 갚지 않는 사람들이 발생할 수 있다. 하지만 이런 염려는 구더기 무서워 장 못담그는 것과 같다.

보다 선량한 많은 사람들이 있다. 또 설령 일부 사람이 능력이 있어도 갚지 않는다 하여도 대부분은 세금으로 환수될 수밖에 없다.

1인당 국민 평균 조세 부담액이 연간 수백만원을 넘는 상황에서 수십년을 국가에 내는 세금을 합산해보면 등록금 및 생활비 후불제가 무리수를 두는 정책이 아님을 알 수 있다. 교육 공평을 통해 빈곤의 세습을 막는 것이 지식 정보화 사회라고 하는 21세기에 걸맞는 공평하고 정의로운 정책이다.

특히 인적 자원이 가장 중요한 자원일 수 밖에 없는 대한민
국의 현실 속에서 교육 공평화 정책은 국가 정책 중 가장 중
요한 정책이다.

프랑스 파리

노트르담 성당 세느강변에서

루소의 에밀을 생각하면서...

1. 나의 다양한 교육 경험에 관하여

루소는 과외 교사를 했다. 그리고 그 경험을 토대로 에밀을 썼다. 루소는 여자 아이를 아빠가 직접 가르치는 것을 권한다. 딸들을 가르친 경험을 토대로 또 여러 교육 기관에 근무했던 것과 정치 경험을 통해서 어떻게 아이들, 특히 딸들을 가르칠 것인가에 대해 이 책을 쓴다.

나도 고 1 때부터 과외 교사를 했다. 후에는 대학생들을 가르치기도 했다. 정치도 어쩌면 교육의 일이다. 손웅정 감독은 직접 자신의 아들 손흥민 선수를 가르쳤다. 과외 교육을 한 것이다.

초등학교 4학년 처음으로 담임 선생님에게 과외 공부를 받은 후, 6학년 때 집안 형편이 어려워졌고, 학원도 다닐 수 없었다.

동생들에게 공부를 가르친 적은 있지만 이렇게 사례비를 받고 과외를 가르치게 되었다. 초등학교 3학년 여학생에게 산수를 가르쳤다. 산수를 잘 이해하지 못한 여학생이었는데 나는 훌륭한 과외 선생이 되지 못했다.

입시를 통해서 고등학교에 들어갔고, 집안 형편이 어려우니 이런 과외 자리가 들어와서 가르치게 되었다. 가끔 이 일이 생각난다. 더 친절하게 끈기 있게, 이해하기 쉽게 가르치지 못한 것이 못내 미안하다.

그 후로도 중학생 남자 아이들 수학과 영어를 가르쳤다. 몇 살 아래의 후배들이고 지금도 같은 동네에 산다.

처음 대학 시절은 과외 금지 시기라 과외 교습을 하지 않았고, 군대에서도 과외를 가르쳤다. 군대 제대해서는 과외를 많이 가르쳤다. 회사에 다닐 때도 퇴근 후에 과외 부탁이 들어와서 동네 아이들을 가르쳤다.

회사에서는 아침에 일찍이 가서 직원들에게 영어 성경을 가르쳤다. 회사를 그만두고 외교학과에 가서는 더 많은 과외를 했다. 수학과 영어를 가르쳤다.

공부 중간 중간 아이들과 재미있게 운동도 하면서 놀았다. 남자 아이들에게 축구를 가르치는 과외를 했었더라면 더 좋았겠다는 생각도 들었다.

내가 영어를 전공한 것도, 수학을 전공한 것도 아니니 항상 가르칠 때마다 미안했다. 단지 서울대를 다녔다는 프리미엄으로 과외를 가르쳤으니 미안하다. 차라리 영어나 수학 하나만 하고 아예 그것을 전공하고 과외를 했든지 했으면 더 나았으리라. 그러나 더 좋은 것은 아예 이런 과외를 하지 않았으면.

가르치기를 더디 하라는 말씀이 있다. 가르치는 것은 어려운 일이다. 그 분야의 대가가 되어야 한다. 내가 영어와 수학의 대가가 아니었으니 과외를 가르치지 않은 것이 맞았다.

내가 잘 알고, 확신하고 있고, 오래 연구했고, 검증된 것들을 가르쳐야 한다. 그 분야에서 과외를 해야 한다. 이런 선생님을 과외 교사로 모시는 것은 큰 복이다.

조선의 왕자들은 과외 교육을 받았다. 과외가 아니라 아예 그런 방식의 정규 교육이었다. 학자들이 가르쳤다.

서기관과 바리새인들의 누룩을 주의하라고 예수님이 말씀하셨다. 예수님은 진정한 스승이시고, 학자이시다. 예수님의 열두 제자는 그런 점에서 아주 복된 분들이시다. 어부 등 당시로서는 변변찮은 지식의 사람들이었지만 예수님은 서기관과 바리새인들을 제자로 택하신 것이 아니라 이런 사람들을 택하셔서 최고의 학자들로 양성하셨다.

약한 자를 선택하셔서 강한 자들을 부끄럽게 하시는 하나님의 역사 방법이시다.

당대의 유명한 학자들은 대부분 예수님을 배척했다. 베드로를 우습게 보는 목회자들이 있는데, 이는 정말 어리석은 성경 이해다.

대학에 갈 때도 수학 능력 시험을 친다. 그 대학에서 수학할 능력이 되는지 시험을 쳐서 학생을 선발하는 것이다. 예수님도 수학할 능력이 되는 사람들을 제자로 택하신 것이다.

인류 역사 가운데 하나님께서 직접 사람으로 이 땅에 오셔서 사람들을 택하셔서 직접 가르치셨다. 거기에 선발된 분들이 베드로를 포함한 열두 제자이시다. 이들 중 한 사람은 결국 예수님을 돈 몇 푼에 팔아버렸다. 가장 어리석은 자다.

베드로는 어부였지만 수학 능력이 탁월했기에 예수님의 제자가 되었다. 아담 스미스는 국부론에서 농부들의 지식이 탁월하다고 말씀하신다.

어부들도 천지기상을 분별할 줄 알고, 바다의 생태를 알고 물고기들을 알고 있다. 자산어보를 쓴 이상으로 베드로는 이런 부분에서 지식이 탁월했다고 본다.

농부나 어부를 지식없는 사람으로 보는 것은 지식 없는 이해다.

예수님의 24시간 밀착 교육을 3년간 받은 제자들은 탁월한 지식인들이 되었다. 지혜자가 되었다.

이렇게 좋은 스승 밑에서 직접 배운 이들은 얼마나 복된 분들인가! 그들은 스승을 따라 고난을 받았고 스승처럼 순교하셨다.

사람은 사람의 스승이 될 수 없다. 그래서 예수님도 사람을 스승이라 부르지 마라 하셨다. 오직 스승은 하나님 한 분 뿐이시다. 랍비라 불릴 수 있는 분은 오직 하나님이시다.

그런 점에서 우리는 가르칠 때마다 겸손해야 한다. 알았다고 생각한다면 아직도 알지 못하고 있는 것이다.

지금도 아이를 가르치면서 내가 맞는지 염려할 때가 있다. 하나님께서, 성령님께서 친히 우리를 가르쳐주시길 기도드린다.

잘못 가르치면 큰 화가 있다. 소경이 소경을 인도하면 재앙이다. 가르치는 자가 먼저 심판을 받게 되고, 그 가르침에 대해 책임을 져야 한다. 특히 종교 지도자, 교수, 사회의 지도자와 대통령은 많은 가르침을 베푼다. 그래서 심판이 먼저 이들에게 있게 될 것이다.

사람은 누구나 가르친다. 어린 아이들도 잘 관찰해보면 자기보다 어린 아이들에게 가르치는 것을 보게 된다. 친구에게도 가르친다. 인간은 죽을 때까지 가르치다가 죽는다. 그리고 배운다. 그런데 어느 순간이 되면 배우지 않고 가르치기만 한다.

계속 배우는 것이 얼마나 중요한가! 그래서 성경과 고전들을 계속 읽어야 한다. 어리석은 선생을 만나는 것은 인생의 큰 재앙이다. 어리석은 아내를 만나면 그녀의 가르침을 그 남편과 자녀들이 받게 된다. 남자는 보통 여자에게 배운다.

어려선 어머니에게 배우고, 결혼해서는 아내에게 배운다. 훌륭한 어머니 밑에서 훌륭한 아들 딸이 나고, 훌륭한 아내에게서 훌륭한 남편이 드러난다.

그 반대는 비참한 결과로 나타난다.

주여! 우리를 도우소서! 이 땅의 모든 여성이 지혜로울 때 이 땅엔복이 있으리라! 소피아가 지혜로울 때 이 땅은 복이 있을 것이다. 하와가 지혜롭지 못함으로써 이 세계에 큰 재앙이 시작되었다.

이 책은 이 땅의 모든 여성이 지혜로운 소피가 되길 바라고 쓰여졌다. 어리석은 저자 김광종에 의해서.

하나님은 이 우주와 우리의 몸까지 만드셨다. 지식과 지혜로 만드셨다. 그러니 하나님을 경외하는 사람에게 지식과 지혜가 많은 것은 당연하다.

우리는 하나님의 형상대로 지음을 받았으니 하나님을 닮아서 지식과 지혜가 많다.

하나님의 자녀이니 더욱더 연구해서 하나님께서 만드신 이 세상의 이치를 깨닫고, 자연과학을 연구하고, 사회과학을 연구하는 것은 처음부터 우리에게 주어진 소명이자 기쁨이다.

땅을 정복하고 바다와 그 가운데 생물을 다스리는 것도 우리에게 주어진 권리이자 책임이다.

달에도 가보고, 화성에도 가보고 태양도, 온갖 천체도 연구해야 한다. 물리 법칙, 생물의 운영 체계를 살펴서 연구하고 바이러스도 연구해서 백신을 만드는 것도 우리의 기쁨이고 권리이다.

인류는 앞으로도 더욱더 많은 것을 발견해갈 것이다. 더 많이 공부할 것이다. 더 많이 교육받을 것이다. 그리고 그 기초에 하나님에 대한 사랑, 사람에 대한 사랑, 이웃에 대한 사랑이 있다. 동물과 지구도 우리의 이웃이다.

학이시습지, 불역열호(學而時習之 不亦說乎)라는 동양의 구절은 하나님께서 우리에게 주신 기쁨을 잘 드러내는 구절이다.

최고의 지식은 하나님을 아는 지식이다. 전도서 12장 마지막의 다음 구절들로 이 글을 마무리한다.

11 지혜자들의 말씀들은 찌르는 채찍들 같고 회중의 스승들의 말씀들은 잘 박힌 못 같으니 다 한 목자가 주신 바이니라

12 내 아들아 또 이것들로부터 경계를 받으라 많은 책들을 짓는 것은 끝이 없고 많이 공부하는 것은 몸을 피곤하게 하

느니라

13 일의 결국을 다 들었으니 하나님을 경외하고 그의 명령들을 지킬지어다 이것이 모든 사람의 본분이니라

14 하나님은 모든 행위와 모든 은밀한 일을 선악 간에 심판하시리라

2. 사립대 경영 참여 이야기

지방에 있는 한 사립대의 경영에 참여하여 기획과장, 기획부처장으로 일한 적이 있습니다.

당시 이사장님이나 총장님 모두 은퇴를 앞두고 계셨기에 많은 부분을 책임지고 일을 해야 했습니다.

목표는 학생들이 장기적으로 등록금을 내지 않고 다닐 수 있는 학교로 만들고, 학생들이 취업이 잘 되는 학교, 연구 성과가 세계적으로 나는 학교, 학생들이 졸업해서 훌륭한 사회인이 되어서 다시 학교에 기여하는 대학으로 만들고자 했습니다.

학교에 처음 부임하니 데모가 심했습니다. 여러 가지 요구 사항들이 있었고 그 중에 심각한 것부터, 시급한 것부터 풀고 중장기 계획으로 문제들을 해결해가겠다는 마음을 먹었습니다.

국내외 대학들의 발전 전략들도 연구해보고 간 터라 큰 그

림은 그려졌습니다.

 학교 앞으로 시내 버스가 들어오지 않아서 거의 2km 정도를 터미널부터 걸어와야 했습니다. 그래서 저부터 자가용을 타지 않고 학생들이 이용하는 버스를 이용했습니다.

 그러면서 그 문제를 저의 문제로 만들어서 지자체들과 협의해서 결국 학교 정문 앞까지 버스가 들어오게 만들었습니다. 이 일을 통해서 동고동락이 왜 경영자에게 중요한지 더 잘 알게 되었습니다.

 나의 문제가 아니면 사람들은 그 문제를 풀려 하지 않습니다. 하부구조가 상부구조를 장악한다는 말, 상전 배부르면 하인 배고픈 것 모른다는 말이 진리입니다. 그래서 예수님도 이 땅에 오셔서 머리 둘 곳 없이 가난한 사람들처럼 사시다가 가셨습니다.

 두번째 문제는 식당의 밥 상태였는데 학생 식당의 반찬 등을 학생들이 문제 삼았습니다. 말라 버린 반찬들. 그래서 이 문제도 똑같이 해결했습니다. 매일 그 밥을 최소 한 끼라도 사먹었습니다.

 우여곡절이 있었지만 학생과 식당 모두 만족할 만한 답을 찾아서 해결해냈습니다.

 학교 공간이 부족해서 또 돈을 들여야 했기에 공간 조정 위원회를 만들어서 빈 공간을 최대한 효율적으로 활용하는 방안을 찾아냈습니다.

학교 발전 기금을 통해서 선순환 구조, 즉 학생 때는 비용 부담 없이 다니고, 졸업하고 취업해서 다시 학교에 발전 기금을 내는 구조로 바꾸기 위해 부단히 노력했습니다.

당시는 인터넷 체제가 잘 발달되어 있지 않던 시기인데 이를 더욱더 발달시켜서 온라인 체제 구축을 위해 노력했습니다.

교수님들의 연구 지원을 위해서도 각 과를 순회하면서 애로 사항을 듣고 함께 발전 방향을 찾았습니다.

다양한 전공의 교수님들과 다양한 분야의 이야기를 나누고 대안을 찾는 것은 정말 정치적인 일이기도 했습니다. 프린스턴대 총장을 하셨던 우드로 윌슨 대통령이 나중에 대통령의 일은 쉬웠다고 했는데 이는 대학교 경영 경험이 큰 도움이 되었다고 했습니다.

국가를 경영하는 것은 다양한 분야를 관장해야 하는 것인데, 대학이 바로 그런 경영을 하고 있었습니다.

한의대 약대 등이 있고 특수교육학과도 있어서 발달장애 아동들과 관련한 연구와 신약 개발에도 심혈을 기울이고 위 아동들의 치료와 교육의 모범 사례를 만들어내고자 힘썼습니다.

전주 예수병원 옛 건물터를 대학이 사들였는데 이 공간이 시내에 있어서 이 공간을 이용할 수 있도록 이사장님께 무릎을 꿇고 간구드렸는데 허락해주셔서 감사하게도 발달 장애 아동들을 위해서 긴요하게 사용했습니다.

새벽에 버스를 타고 학교에 들어가다보면 학생회 부회장이

신문 배달을 하다가 저를 만나게 되고, 이 일들이 반복되면서 학생회가 저를 신뢰하고 학교 개혁을 기다려주면서, 데모를 멈추었습니다.

새벽에 들어가다 보면, 가난한 학생들이 잠잘 곳이 없어서 학생 회관 동아리 방에서 자는 것을 보았습니다.

저도 대학시절 엄청나게 가난하게 지냈기에 이들의 처지가 안타까웠습니다. 그래서 기숙사를 더 확충하고 무료로 들어갈 수 있는 방법까지 모색했습니다. 대학은 정말 좋은 일들을 많이 할 수 있는 대한민국의 소중한 자산들입니다.

지방대들이 학생 충원이 어려워지고 외국 학생들을 많이 받아들이고 있습니다. 대학은 국가가 적극적으로 재정 지원을 해야 하고, 연구 지원을 해야 하고 믿고 기다려주고 체크해야 합니다.

대한민국은 지식 국가, 연구 국가가 되는 길만이 지속적 번영의 토대를 마련할 수 있는 대안입니다.

자연 과학, 공학 뿐만 아니라 인문 사회 과학도 기초 학문으로서 정부가 적극적으로 지원해야 합니다.

대한민국이 모든 학문 분야에서 전세계에 이론적 토대를 제공하고 기여할 수 있다면 국가적 위상도 현저하게 올라가게 되고 최고의 선진국이 되는 반석을 마련할 수 있게 되는 바 그 전진 기지가 바로 대학입니다.

교수 역량 강화를 위한 지원 뿐만 아니라, 직원들의 역량 강화와 학문적 성장을 지원하는 것도 중요합니다. 직원들도 석박사 공부를 계속하도록 돕는 길이 학생, 교수, 직원의 공조에 아주 유용합니다.

교육은 백년지대계가 아니라 永久之大計입니다.

3. 발달 장애 학교 교장 시절 이야기

1996년 4월에 15대 국회의원 선거 전주 완산에 출마한 일이 끝나고 서울 난곡에 있던 두레 학숙으로 돌아왔을 때 이강락 선배께서 찾아오셔서 위로해주시면서, 서울베다니학교가 재정난으로 어려우니 교장이 되어서 후원도 좀 모아주고 학교 경영을 통해 더욱더 학교를 발전시켜주었으면 좋겠다고 해서 흔쾌히 받아들이고 서울 양천구 신월동 303번 버스 종점 근처에 있는 작은 빌딩의 4층을 임대해서 발달장애아동 100여명과 선생님 10여분이 있는 학교에서 일을 시작했습니다.

당시 이 학교는 비인가 아동 교육기관이었습니다. 기독단체에서 후원을 통해 세운 교육 봉사 기관이었습니다. 발달장애아동들에 대한 이해도 지원도 부족한 시기였습니다.

1994년에 음주 운전 차에 치여서 고통을 겪다가 경제적으로도 힘들어져서 가족들이 지방으로 내려간 상황에서 죽음을 각오하고 선거에 나가게 되었고, 아이를 잘 볼 수 없는 상황이었기에 이 아이들을 돌봄으로써 하나님께서 나의 아이를 직접 돌보아주시길 바라는 마음으로 이 일을 정말 열심히 하였습니다.

이 일을 해보니 발달장애아동들을 자녀로 둔 집들의 고통이 정말 크다는 점을 알았습니다. 아이가 정상적이어도 어릴 적에는 손이 많이 가는데 발달장애아동들은 그 손이 족히 10배 100배도 더 갔습니다.

누군가는 항상 이 아이들 옆에 있어줘야 하고 그것은 인생 내내 기약 없는 일이었습니다.

선생님들도 열악한 학교 형편상 급여가 작아서 항상 생활이 문제가 되었습니다. 그래서 저도 교통비 정도만 받고 아예 급여를 받지 않고 일을 했습니다.

학교 재정은 후원으로 운영되었기에 후원금이 들어오지 않으면 당장 학교 운영비도 문제가 되고 선생님들 급여도 문제가 되었습니다.

그럼에도 불구하고 아동들 가정에서도 약간의 수업료를 받았는데 이도 그 가정들로서는 큰 부담이 되었습니다. 지금은 그래도 나아졌지만 당시는 정부 지원이 거의 없던 상황이었습니다.

자폐, 뇌성마비, 다운증후군 등의 병으로 아이들은 고통받고 있었습니다. 학교에서는 치료 교육이 실시되었는데, 특수교육을 전공한 선생님들과 보육교사가 함께 해서 아이들을 보육하고 교육 치료를 병행했습니다.

아동들의 가정은 경제적으로 그리고 정서적으로 많은 어려움을 겪었습니다. 부모 중 한 명은 반드시 아이와 함께 있어 줘야 했기에 취업은 한 명만 하고 맞벌이를 할 수 없었습니다.

어느 날 부모님들과 모임을 하는데 한 아버지가 코피를 흘리시기에 여쭤보니 공기업에 다님에도 비용이 부족하여 새벽에 우유 배달까지 해서 몸이 피곤하다 했습니다.

가족 모임에 다녀오면 부부가 돌아오는 버스 속에서 서로 원망하는 마음이 생겨서 말도 잘 하지 않게 된다고 했습니다. 부부 관계도 나빠지는 경우가 많았습니다.

그리고 자신들이 죽은 후에 아이들의 장래가 항상 염려되었습니다.

그래서 교장 일을 함과 동시에 발달장애 아동들의 복지를 위해서 연관 단체들과 힘을 합하여 정부 정책이나 예산에 반영되도록 많은 애를 썼습니다. 조금씩 진전이 이뤄져서 감사했습니다.

이 일을 하면서 어떻게 아이들이 근본적인 치료가 될 수 없을까를 생각했습니다. 정부에서 그리고 의료진들과 제약 관련 연구자나 회사들이 함께 하여 길을 찾기를 원했습니다.

이 일을 마치고 아예 이런 일들을 좀더 포괄적으로 하길 원했는데 우석대학교 기획업무를 통해 대학 경영하는 일에 참여하게 되었습니다.

아이들은 천사들입니다. 불행은 누구에게나 닥칠 수 있습니다. 우리 사회가 서로 도와야 합니다. 발달장애아동들은 우리 모두의 아이들입니다.

 당시는 장애아동 어린이집이 없어서 이를 만들려는 와중에 어려움도 겪었는데 시설을 만들려던 한 주택을 구입한 분이 나가라고 해서 쫓겨난 일이 있었습니다. 그런데 나중에 이 분이 그 집을 재건축하다가 옆 집이 무너지고 이로 인해서 어려움을 겪다가 한 교회에 가서 기도드리다가 환상을 보게 되고 그 환상에서 저에게 사과하고 용서를 빌라는 말씀을 듣 는 기이한 일도 일어났습니다.

 그 집에서 쫓겨날 때 하나님께 원망을 드렸는데, 하나님께 서 이 일을 얼마나 기뻐하셨는지 알게 해주신 신기한 일이었 습니다.

4. 생존 교육

 인생을 살다보면 극한의 상황에 처할 수 있다. 이를 대비해 서 교육이 되어 있어야 한다. 태어나자 마자 여러 백신들을 맞아주듯이.

 요셉은 17세에 형들이 죽이려는 상황에 빠졌다. 구덩이에 던져졌고, 죽임까지 당하지는 않았지만 이집트에 노예로 팔 려갔다. 이런 상황에서 극심한 심리적 압박과 고통에 휩싸였 을 것이다. 아버지 야곱에게서 분리된 상황, 어머니 라헬은 돌아가셨고, 친동생 베냐민도 볼 수 없고, 배는 다르나 그래도 한 형제들인 사람들에게 이런 폭행을 당한 것이 어느 것 하나도 심리적으로 무너지지 않을 수 없었을 것이다.

그리고 낯선 나라로 끌려가서 노예로 팔렸고 이제 노예의 신분으로 살아야 되는 상황이 펼쳐졌다. 이런 상황에서 멘탈이 무너지지 않고 살아남을 수 있는 것은 생존 교육이 되어 있었기 때문에 가능한 일이었다.

그의 생존 교육은 아버지 야곱으로부터 배웠고, 성경으로부터 배웠고 하나님으로부터 배웠다. 아버지 야곱은 그의 험난한 삶들을 끊임없이 요셉에게 말씀해주셨을 것이다.

요셉은 노아의 생존, 아브라함과 롯의 생존 그리고 노아 시대의 수많은 사람들의 죽음, 소돔과 고모라의 멸망 등을 들었을 것이다. 지금은 자기가 노예이지만 후에는 그의 형들이 그의 노예가 될 것임을 알았기에 절망하지 않고 생존하면서 앞 길을 모색했다.

노아는 생존하기 위해 배를 만들었고, 에스키모들은 생존하기 위해 이글루를 만든다. 생존하기 위해 수영을 배워야 하고, 생존하기 위해 농사도 지을 줄 알아야 한다. 극한의 상황이 왔을 때 어떻게 살아남아야 할 지 알아야 한다. 산에서 조난당했을 때 어떻게 생존할 지도 미리 생각해두고 훈련해야 하고, 전쟁이 났을 때 어떻게 생존할 지도 생각해두어야 한다.

그리고 예수님의 재림시 어떤 일이 벌어질 지를 알고 준비해두어야 한다. 죽음 뒤에 대해서도 대비해야 한다. 영생으로 갈 지, 영 벌로 갈지.

경제도 마찬가지다. 지금 각국이 양적 완화를 통해 많은 돈이 풀렸고 이로 인해 인플레가 일어날 상황인데 역으로 가난한 사람들은 이보다 힘든 적이 없다. 정치인들은 대비해야한다. 이런 것들을 아이들에게 가르쳐야 한다.

5. 교회 교육

대학 시절 교회에서 주일학교 교사를 했다. 그런데 무척 부담스러웠다. 나 자신도 아직 진리에 대해서 제대로 깨닫지 못했는데 아이들에게 내가 성경을 가르치다니.

그리고 삼십이 되기 전까지는 가르치지 않기로 작정을 했다.

여러 교회들에서 주일 학교 선생님으로 대학생들을 활용한다. 이는 꼭 옳지는 않다고 본다.

마찬가지로 기독 동아리들에서 선배가 후배를 가르친다. 나도 일대일이라는 것을 통해 그렇게 했다. 이것 또한 큰 부담이었다.

여러 가지 의문을 가지고 있던 것들에 대해 그래도 약간이나마 깨달은 것은 서른 살을 넘어서고 그리고 더욱더 깨달은 것은 40이 넘어서이며, 지금 60이 넘어서야 좀더 정리가 되는 것 같다.

따라서 20대의 대학생들은 서로 토론하고 연구하고 공부해야 할 때이지 가르쳐야 할 때는 아니라고 본다.

또한 성직자들 중에도 제대로 교리를 이해하지 못한 사람들이 많다. 이들의 가르침으로 인해 교인들은 큰 피해를 본다. 군부 독재 시절 목회자들이 세상 정치에 대한 비판을 하지 않는 것을 당연시 하면서 사용한 구절들이, 가이사의 것은 가이사에게 하나님의 것은 하나님에게 라는 말씀이며 권위에 복종하라 모든 권위는 하나님께로부터 온 것이라는 말씀이었다.

그러나 이 말씀을 제대로 이해하지 못한 것이다. 가이사는 하나님의 것이고, 잘못된 권력을 제거하는 일들이 성경의 다른 부분에서도 나오기 때문이다.

예수님도 서기관과 바리새인들의 누룩을 주의하라 하셨다. 이는 대학에서도 마찬가지다. 교수라고 해서 제대로 이해하고 가르치는 것은 아니다.

대학 시절 막스 베버의 프로테스탄티즘의 윤리와 자본주의 정신이라는 책을 두고서 한 교수 분이 어떻게 자본주의에 정신이 있을 수 있겠느냐고 하면서 이런 표현은 막스 베버가 비꼬아 둔 것이라고 말씀했다. 내가 보기에 이 분은 성경을 읽지 않는 분이고, 그래서 막스 베버의 진지함을 놓치고 있었다.

중고등학교 시절, 또는 초등학교에서도 가르치는 선생님에 따라 많은 것이 다르다. 특히 생물의 경우 진화론 입장에서

신을 배제하고 가르치는 선생님들이 계신다. 자신의 신념이 그릇됨에도 불구하고 그렇게 가르친다.

진화론도 믿음이고, 창조론도 믿음이다. 어느 쪽이 더 합리적인가는 경쟁되고 토론되고 비평되어야 한다.

6. 부부 사이가 좋은 것, 부부 일심의 위험성

흔히 부부 일심 동체라고 말한다. 그러나 일심이 항상 좋은 것만은 아니다.

첫째의 경우로, 남편이 옳고, 또는 아내가 옳아서 상대편이 그 의견에 동참하여 나가는 경우는 가장 좋다. 잠언의 현숙한 아내와 그 남편의 관계에서 잘 나타난다. 그런데 이런 부부는 흔치 않다.

요셉과 마리아 같은 부부다. 마리아는 약혼 상태에서 성령으로 잉태하셨다. 쉽지 않은 선택이었다. 그러나 요셉은 이 여인을 아내로 맞아들이고 도왔다.

의를 추구하는 사람이 남자 중에 천에 하나가 있을까 말까 하고, 여자 중에는 천에 하나도 없다 하셨으니 이런 부부를 찾아보기가 얼마나 어려운 일일까?

둘째 경우, 남편이나 아내가 옳지 않은 의견을 내거나 행동을 보이고 상대편도 거기에 동조하여 나가는 경우는 최악이다.

성경에 이런 부부가 많이 나오는데는 유다 백성들의 남편과 아내의 관계가 여기에 해당한다. 오늘날도 많은 가정이 이러할 수 있다. 아합과 이세벨의 관계도 여기에 해당한다.

우리 나라에서도 80년대를 어두움으로 몰아넣은 부부가 있었다.

셋째, 한편 남편이나 아내가 옳은 의견을 내거나 행동을 보이고 상대편이 그 의견에 동참하지 않는 경우가 있다.

다윗이 하나님 앞에서 춤을 추고 미갈이 이 일을 업신여기는 일이 여기에 해당한다.

넷째, 마지막으로 남편이나 아내가 옳지 않은 의견을 내고 상대편이 거기에 동조하지 않아 불화가 생기는 경우다.

악한 나발과 지혜로운 아비가일의 관계에서 이런 모습이 드러난다. 이삭과 리브가의 관계도 여기에 해당할 수 있다. 이삭은 에서를 택하고 리브가는 야곱을 택한 것에서 잘 나타난다.

부부 일심 동체가 하나님의 말씀보다 앞설 수없다.

하나님보다 그 어떤 누구를 더 우선시하여 사랑한다면 결국 그 해는 내가 사랑한 그 사람에게 다시 돌아간다.

그러니 나의 사랑을 위해서라도 하나님의 말씀을 모든 관계에서 우선적으로 고려하는 길이 최선의 길이다.

하나님의 말씀은 모두에게 유익한 길이므로.

그래서 고운 것도 헛되고 아름다운 것도 헛되나 오직 여호와를 경외하는 여인이 최고라는 것은 배우자 선택에서 가장 고려해야 할 철칙이다. 국민들 간의 관계도 마찬가지로 위에서처럼 네가지로 분류해볼 수 있다.

부부가 사이가 좋아야 한다고만 가르치는 것은 어리석은 일이다. 또 무조건 남편 말을 들어야 한다든지, 아내 말을 들어야 한다든지 하는 것도 어리석은 가르침이다. 그런데 의외로 어리석은 가르침을 주는 목회자들도 많고 그런 어른들이 있다.

소피아는 어려서부터 다양한 사례들에 대한 지혜를 성경을 통해 얻을 수 있다.

또 자녀도 부모들의 갈등 속에서, 또는 부모의 화합 속에서 정확한 판단을 할 수 있어야 한다.

7. 빈곤 학생 등록금 및 생활비 후불제 도입 (인재양성지원)

처음 대학 시절, 나의 성적은 좋지 않았다. 과회장 활동에, 아르바이트에 당시 8개 정도의 활동을 했다. 당시는 과외 금지 시기였다. 그래서 막노동 알바들을 했다. 그러다가 결국 학사 경고까지 나왔다. 그리고 우리 과 여학생은 성적이 좋았다. 성적 장학금이 나오자 이 여학생이 나에게 장학금을 양보해주었다.

너무 고마웠다. 두번째 대학에 다닐 때는 과외 알바를 해서 형편이 나아져서 주변의 여러 어려운 학생들을 도왔다.

신학기에 등록하려는 대학생마다 집안 형편에 따라 여러 어려움을 겪는 학생들이 많이 있다.

국가와 대학은 공조하여 빈곤 대학생의 등록금 후불제를 도입할 필요가 있다. 무이자로 제공되어야 한다.

빈곤 대학생의 원하는 경우, 무보증으로 학생 신분 중에는 등록금을 내지 않고 다니다가 졸업 후 직장에 취업한 이후에 갚는 제도인데, 그 때도 여전히 가난하거나 취업이 되지 않는 경우에는 등록금 반환을 유예하거나 면제하는 방안이다.

국가는 이 비용의 80%를 부담하고 학교는 20%를 부담한다.

졸업생은 후에 등록금 외에 국가에 세금을 내고, 학교에는 발전 기금을 자발적으로 내는 구조를 만들어내면 된다.

이는 이스라엘의 면제년을 적용한 법이다.

매 7년에 형제가 빌려간 것을 그 형제가 가난한 경우에 탕감해준다. 하나님이 이런 탕감자에게 복을 주신다고 하셨다.

빈곤 학생들이 학생 시절 등록금과 생활비 부담없이 공부에 전념할 수 있는 것은 그 능력 개발에 도움을 주는 것이며, 결과적으로 국가 경쟁력 강화에 도움이 되어 세금 징수 확대를 가져오며, 대학도 인재 배출을 통한 학교 질 제고, 학교 발전 기금 자발적 모금 확대를 도모할 수 있기에 아주 유용한 제도다.

현재 국민 중 30%는 저소득층이기에 20-30%의 대학생 정도는 이 혜택을 받도록 보장하는 것이 요청된다고 본다.

주님은 가난한 이들을 돌보는 이들을 돌보신다.

대학과 국가는 대학 내 기숙사 시설을 확대할 필요가 있다. 빈곤 대학생이 원하는 경우 누구나 무료로 이 시설을 이용하고 등록금 후불제처럼 그 비용은 처리하면 된다.

국가에서는 국채 발행, 대학 교육세 징세 등을 통해 이 비용에 소요되는 기본 자금을 마련할 수 있다.

아리랑당 창추위에서는 이 정책을 기본 정책으로 추진할 계획이다.

이 후불제는 중고등학교에도 당연히 적용되어야 한다.

여기에 소용되는 기금은 국가적으로 약 10조원 정도면 가능하다고 본다. 몇 년의 싸이클을 거치면 이 기금 자체가 확대되어 자체적으로 운영가능하다.

이는 믿음과 사랑으로만 실행할 수 있는 법이다.

만약의 경우 능력이 되는데도 갚지 않는 사람들이 발생할 수 있다. 하지만 이런 염려는 구더기 무서워 장 못담그는 것과 같다.

보다 선량한 많은 사람들이 있다.

또 설령 일부 사람이 능력이 있어도 갚지 않는다 하여도 대부분은 세금으로 환수될 수밖에 없다.

1인당 국민 조세 부담액이 연간 수백만원을 넘는 상황에서 수십년을 국가에 내는 세금을 합산해보면 등록금 및 생활비 후불제가 무리수를 두는 정책이 아님을 알 수 있다.

교육 공평을 통해 빈곤의 세습을 막는 것이 지식 정보화 사회라고 하는 21세기에 걸맞는 공평하고 정의로운 정책이다.

특히 인적 자원이 가장 중요한 자원일 수 밖에 없는 대한민국의 현실 속에서 교육 공평화 정책은 국가 정책 중 가장 중요한 정책이다.

8. 잠자기 전에 기도를 그리고 체조를

잠자리에 들기 전에 기도를 드리구요, 그리고 간단히 몸을 푸는 체조를 하고 자면 숙면을 취할 수 있어서 좋아요.

하나님이 그 사랑하시는 자에게 잠을 주신다는 말씀이 있으시잖아요.

여러분 깊은 잠으로 모든 피곤을 이겨내세요.

침대나 잠자리 주변에 성경을 두어서 일어나자 마자 기도드리고 성경을 읽는 것은 아주 좋은 습관입니다.

지혜자의 마음은 초상집에 있고, 우매자의 마음은 잔치집에 있다고 하셨으니 어려서부터 삶의 끝을 생각하고 사는 삶은 소피아를 지혜롭게 만들어줍니다.

9. 육체의 연습, 경건의 연습

육체의 연습이 약간 유익하나 경건의 연습이 범사에 유익하다는 말씀이 있습니다.

많은 사람들이 건강을 위해 운동도 하고 여러가지 활동을 합니다.

이것도 필요합니다.

그러나 인생을 진정 건강하게 하는 것은 경건의 연습입니다.

고아와 나그네와 과부를 돌보고 자기를 지켜 세속에 물들지 않게 하는 것이 경건이라고 했습니다. 이 연습을 꾸준히 하면 놀라운 일이 생길 것입니다.

어려서부터 이런 훈련을 하면서, 그들을 도울 방법을 모색하면서 성장해간다면 훌륭한 사람이 될 것입니다.

10. 삶의 목적이 같은 사람과 많은 시간을 보내야 한다

우리는 평생 많은 인간 관계를 맺고, 그렇게 살아간다. 그런데 이 때 누구와 얼마나 더 많은 시간을 함께 할 것인가 생각해볼 필요가 있다.

같은 학교 동창이라도 각각 삶의 방향과 목적이 다르다. 그래서 동창 모임에 가서 많은 시간을 보내는 것은 좀 생각해볼 일이다.

교회도 마찬가지다.

결혼은 더욱 그렇다. 결혼한 사람과 인생의 가장 많은 시간을 보내게 된다. 그런데 목적이 다르다면 이 얼마나 힘든 시간이 되겠는가

그래서 믿지 않는 자와 멍에를 같이 하지 말라 하셨다.

그런데 목적이 같은 사람과만 만날 수는 없다. 설득해서 내가 가진 목적을 그들이 가지도록 해야 할 필요도 있다. 전도다. 그런데 이단 전도는 주의해야 한다. 전도하기가 쉽지 않기 때문이다. 그래서 두어번 이야기하고 말라는 말씀도 있다.

가능성에 투자해야 한다. 세월을 아껴야 한다. 인생은 길지 않다. 나에게 주어진 시간은 길지 않다. 돼지에게 보물을 던지지 말라.

11. 동네 아이들과 놀기

 학원들에 많이 가서 이럴 기회가 적긴 하지만 동네 아이들과 놀게 하고 옆에서 지켜봐주고 도와주고 그 놀이에 어른도 함께 참여하는 것도 좋습니다.
 이전에 과외를 가르쳤던 아이들에게 쉬는 시간을 주고 함께 나가서 축구도 하고 했던 적이 있는데요. 훨씬더 집중도 잘 하고 좋습니다.

12. 아이가 다쳤을 때 반응

 놀다가 아이가 다쳤을 때 진심으로 같이 공감해주고 염려해 주는 것을 아이들은 좋아합니다.
 강하게 키운다고 "일어나" 하기 보다 달려가서 염려해준 다음에, 그리고 상태를 살핀 다음에 다시 노는 것이 소피아의 마음을 행복하게 해줍니다.
 감기 등에 너무 쉽게 약을 먹이긴 보다는 집안을 더 따뜻하게 해주고 좋은 음식들을 공급하고 그래도 심각할 때 약을 투여해야 합니다. 어려서부터 너무 많이 약에 노출되게 하는 것은 좋지 않다고 봅니다.

13. 책장의 책 찾기 놀이 등 여러 놀이

책을 잘 정리해두고 책꽂이의 책 찾기 시합 놀이도 즐겁고 유익한 놀입니다.

가위 바위 보 놀이에서부터 시작해서, 서로 줄넘기 오래 하기 놀이, 축구 놀이, 야구 놀이 등 다양한 놀이를 만들어서 아빠와 딸이 함께 할 수 있습니다.

놀이를 아이가 만들어서 같이 해볼 수도 있습니다. 침대를 이용해서 높이 뛰기 놀이도 할 수 있습니다.

눈이 오면 썰매 놀이에서부터 온갖 놀이를 통해 사물의 성질을 익히고 깔깔 웃으면서 스트레스도 해소하면 좋습니다.

노래 만들기 놀이도 좋습니다.

수시로 서점이나 도서관에 같이 가는 것도 아주 좋은 교육입니다.

14. 아기의 머리 감기기와 세수

어려서 어른들이 머리를 감겨주거나 세수를 시켜줄 때 물이 아이들 코로 들어가서 아이들이 힘들어하는 경우가 있다.

아주 어린 아기들도 품에 안고서 수평을 유지하고 한 손으로 고이고 다른 손으로 조금씩 아기의 머리와 얼굴에 물을 묻혀주고, 그 물이 코쪽으로 오지 않게 하면 아이들이 행복하게 머리를 감을 수 있다.

　너무 거칠게 아이들의 머리를 감겨주면 이 일로 인해 아이들에게 물의 공포가 생기게 된다.

　아이들의 어려서의 여러 일들이 행복으로 가득찰 수 있으면 좋겠다. 인생은 수고와 슬픔 뿐이다고 모세가 말씀하셨는데, 어려서부터 너무 많은 수고와 슬픔에 잠기지 않게 하는 것이 좋겠다.

15. 아빠의 선물

　생일에 케익을 사가지고 집으로 퇴근하는 것보다는 집에서 만들거나 아니면 집에서 간단한 떡을 만드는 것이 어떨까! 케익 성분이 꼭 건강에 좋은 것은 아닐 수 있다. 국산 밀로 만든 것도 아닐 가능성이 높다. 어려서부터 우리는 많은 첨가물에 노출된다. 가급적 이런 인공 첨가물에 아이들을 노출시키지 않아야 한다.

　일생 동안 아빠는 딸에게 많은 선물을 해준다. 태어나기 전부터 아기용품을 마련하고, 커 갈 때마다 옷을 사고 필요물품을 챙긴다. 아이의 생일이나 어린이날 등 특별한 날에는 주변의 미혼미 시설이나 어려운 형편의 아이들과 함께 선물을 주는 것이 좋다. 함께 살아가는 것을 가르쳐야 한다.

　아이도 선물을 받지만, 또 선물을 주는 것도 좋다. 머리카

락을 길러서 암환자 아동들에게 제공하는 것도 좋다. 2년 정도 길러서 8살에 한번 기부하고, 또 길러서 9살이나 10살에 기부하면서 계속 그렇게 해가면 좋다.

많은 좋은 책들을 사주는 것도 좋다. 인형을 딸들이 좋아하는데, 이 인형들도 그 재료를 잘 살펴야 한다. 유해한 재료가 들어가지 않는다고 장담할 수 없다. 가습기 살균제와 같은 위험은 어디에나 도사리고 있다.

아빠가 딸의 첫 생리에 면생리대를 선물하는 것이 좋다고 봅니다. 일반 생리대로 인한 생리통도 보고 되고 있는데요.

여성이 근 40여년간 하나님께서 주신 이 축복이 힘든 일이 되지 않도록 배려되어야 합니다.

서아시아 등 일부 지역에서 생리 중인 여성을 집 밖으로 쫓아내는 일들이 있는데 자신들이 여성에게서 태어났다는 사실을 망각한 일입니다. 성경에도 생리 중인 여성을 부정한 상태로 보고 이 기간에 그 아내와 성관계를 하지 말라는 말씀이 나오는데 이는 여성을 보호하려 한 것이지 이 여성들을 더욱 어렵게 만들려는 일이 아니었습니다.

딸이 결혼할 때 또 많은 선물을 준다. 사위가 가난한데 온전한 사람이라면 집도 사주어도 좋겠다. 유산도 잘 마련해서 줄 수 있어야 한다. 그럴 형편이 못되면 최소 정신적 유산이라도 잘 물려주어야 한다.

16. 술

  술과 빈부 격차 그리고 결혼, 이혼, 강간1) 등의 문제와는 상관 관계가 없을까? 당연히 있다. 그 원인이 빈부 격차에만 있지는 않지만 이 문제도 그 원인 중 중요한 부분이라 볼 수 있다. 오래 전 자료이지만 오늘날과 비교해보면 유의미한 결과가 나오리라 본다.

  다윗처럼 왕으로서 모든 것을 가졌음에도 불구하고 더 가지고자 죄를 저지르는 경우도 있을 것이고, 세겜의 아들도 그러한 예이다. 반대로 결혼할 수 없기에, 데이트를 정상적으로 할 수 있는 상황도 아니어서 이런 악행을 하는 경우들도 있을 것이다.

  여성들은 항상 여러 위험에 노출되어 있다. 그런 환경을 피하는 것이 중요하다. 특히 술을 먹는 환경은 아주 위험하다. 인간이 원래 악한데 술까지 먹게 되면 더욱 악해져서 이런 악행의 위험에 노출되는 것이다.

  그래서 소피아는 아예 일생 내내 술을 마시지 않는 것이 좋다.

  2008년에 비해 2018년에 성폭력건 수가 13000여건에서 33000건으로 두 배 이상 늘었다. 우리 사회의 술 문화와도 깊은 관련이 있을 것으로 보인다. 술이 모든 문제의 근원은 아니지만 상당한 문제의 원인이다.

한 사회가 타락하면 구성원들이 술과 마약에 탐닉하게 된다. 그리고 그 피해는 다시 여성에게 돌아간다.

----

1) 〈 한국민, 작년 1인당 753만원 소비 〉〈 대체 〉 (2003/12/21 16:32 송고)
주당 46시간 근무...최고 관심사는 건강
노인인구 8.3%, 평균수명 76.5세
하루 섭취 열량 2천992㎉, 담배 7.2개피
결혼 후 내 집 마련 10.8년 걸려

(서울=연합뉴스) 최윤정 기자 = 우리나라 사람들은 1인당 753만원을 쓰고 주당
46.2시간 근무하는 것으로 나타났다.

또 건강에 최우선 관심을 쏟으면서 열량 섭취량과 흡연량이 줄어들고 있고 평
균 수명은 76.5세로 늘어 65세 이상 노년층 인구가 전체의 8.3%를 차지하고 있는
것으로 조사됐다.

대학진학률이 79.7%에 달하지만 4년제 대학 졸업자의 취업률은 59.2%에 불과하고 강력범죄는 줄어들고 있지만 강간 사건은 36.5%나 급증했다.

통계청은 올 한해 조사된 우리나라 사회 각 부문의 통계지표를 종합, 21일 이같은 내용의 '2003년 한국의 사회지표'를 발표했다.

◆ 인구.가족 구성과 소득

총 인구는 지난 7월 현재 4천792만5천명으로 작년보다 0.6% 증가하는데 그쳤으며 이중 65세 이상 노년층 비중이 8.3%로 지난 2000년 7.2%보다 더욱 높아졌다.

노년층 인구 증가는 출산율 감소와 평균 수명 연장에 따른 것으로 이중 합계 출산율은 지난해 1.17명으로 전년보다 0.13명 감소하며 사상 최저치를 기록했다.

또 평균 수명은 76.5세이며 남자는 72.8세, 여자는 80세에 달했다.

혼인건수는 지난해 30만7천건으로 전년(32만건)보다 1만3천건 감소했고 평균 초혼연령은 남자 29.8세, 여자 27세로 전년에 비해 각각 0.2세씩 늦어졌다.

이혼이 급증해 지난해 연간 14만5천건으로 전년보다 1만건 늘었으며 10년전의 5만3천건에 비해서는 2.7배로 뛰었다.

지난 2000년 우리나라 가구의 평균 가구원수는 3.1명이며 4인이상 가구가 44.5%로 가장 많지만 1인 가구도 전체의 15.5%에 달했다.

1인당 국민소득(GNI)은 1만13달러(1천192만원. 환율 1천190.6원 기준)에 달했으며 1인당 민간소비지출은 753만원이었다.

맞벌이 부부가 늘면서 도시 근로자 가계 수입에서 배우자가 차지하는 비중이 9.6%로 전년 8.9%보다 높아졌고 교육에 대한 관심이 커지며 교육비 지출이 10.9%로 전년보다 0.1%포인트 증가했다.

◆ 근로 조건과 가치관

지난해 기준 한국인의 주당 평균 노동시간은 전년에 비해 0.8시간 줄어든 46.2시간이며 월 평균 임금은 188만원으로 전년보다 7.6% 증가했다.

교육정도별 임금 격차는 고졸 임금을 100으로 했을 때 대학교 졸업 이상이 153.8로 전년 157.9에 비해 축소됐다.

임금근로자 중 비정규직이 증가하면서 정규직 근로자 비중이 48.4%로 전년보다 0.8%포인트 떨어졌으며 일용직 근로자는 1%포인트나 뛰었다.

15세 이상 근로자의 직업 선택 요인은 `안정성'이 34.4%로 가장 많았지만 지난 98년에 비해서는 줄었고 대신 `수입'이 21.5%로 3.3%포인트 증가했다.

4년제 대학교 졸업생 취업률은 59.2%로 전년보다 1.5%포인트 감소했으며 특히 여자 졸업생 취업률은 59.1%에서 56.7%로 2.4%포인트나 떨어지는 등 감소 폭이 컸다.

중요한 관심사는 건강이 44.9%로 가장 많았고 돈, 자식 문제 등은 순위가
뒤로 밀려났다.

◆ 교육과 복지, 생활

지난 2000년 기준 25세 이상 인구중 대졸자 비율은 24.3%로 95

년에 비해 4.6%포인트가 증가했으며 대학 진학률은 79.7%에 달했다.

교원 1인당 학생수는 초등학교 27.1명인데 비해 대학은 47.6명에 달했고 학급당학생수는 초등학교 33.9명이었다.

전공별 대학생 비율은 공학계가 29.2%로 전년의 31.1%에 비해 줄었으나 인문계와 예체능계는 13.9%, 9.5%로 전년의 13.5%, 9.0%에 비해 늘었다.

식생활면에서 쌀 소비량은 줄고, 육류 소비량은 늘어난 가운데 하루 평균 열량공급량은 2천992kcal로 전년(3천kcal)에 비해 줄었다.

19세 이상 성인 1인당 주류 소비량은 86.8ℓ로 전년(80.5ℓ)에 비해 늘었으나 담배는 하루 평균 7.2개피로 0.6개피 감소했다.

건강보험 적용 인구는 4천650만명으로 전년보다 0.9% 늘었고 1인당 연간 부담액은 23만5천원으로 22.4%나 증가한 반면 1인당 연간 급여비는 28만9천원으로 2.8% 늘어나는데 그쳤다.

지난 2001년 기준 의사 1인당 인구는 629명이고 한의사와 치과의사 1인당 인구는 3천700명과 2천507명이다.

지난해 범죄발생건수는 198만건으로 전년보다 0.4% 감소했고 주요 범죄 중 살인은 983건으로 7.6% 감소했지만 강간은 9천435건으로 36.5%나 증가했다.

투표율은 지난해 16대 대통령 선거시 70.8%로 지난 97년 15대 선거의 80.7%에 비해 크게 낮아졌다.

◆ 주거.정보통신.문화.교통

2000년 기준 주택 자가비율은 54.2%이며 지난 2001년 조사결과 결혼 후 주택 마련까지 평균 10.8년이 걸렸다.

지난해 도시 주택매매가격은 16.4% 상승했고 특히 아파트가 22.8%나 뛰며 상승세를 이끌었다.

이동전화 가입자수는 끊임없이 늘어 지난해 3천234만2천명으로 전년에 비해 11.4%가 증가했으나 PC 보급대수는 인구 천명당 75.7대로 전년의 81대에 비해 줄었다.

도서 발행 부수는 8천155만5천권으로 전년보다 8.7%가 늘었고 이 중 아동도서와 학습참고서가 28.7%와 15.5%의 높은 신장세를 보였으나 철학은 18.7%나 감소했다.

지난해 총 자동차등록대수는 전년대비 8% 늘어난 1천394만9천대를 기록했으며 전체 자동차중 69.8%는 승용차였다.

교통사고는 23만953건이 발생해 1일 평균 19.4명씩 모두 7천90명이 사망했으며 부상자는 34만8천184명이다.
merciel@yna.co.kr

17. 낙태죄는 폐지되어야 한다

여성 단체들에서 낙태죄 폐지를 강하게 요청해서 위헌 소송에서 승소했다. 연간 20만건 정도로 추정하는 낙태. 그러나

200만건까지 될 수도 있다고 보기도 한다. 사후피임약을 통한 낙태까지 합하면 더욱더 많다.

아마도 우리 사회에서 어떤 심각한 문제가 있어도 이 문제보다 더 심각한 일은 없다고 본다. 태아의 입장에서 스스로 목소리를 낼 수 없기 때문에 그렇지 그들을 대변할 누군가 힘센 사람들이 있다면 정말 우리 사회는 이 문제로 큰 소동이 일어날 것이다.

천주교 단체에서 낙태죄 폐지 반대 운동을 벌이고 있다. 그런데 왜 낙태가 이루어질까? 가장 큰 요인이 40% 정도로 원치 않는 임신, 그 다음이 경제적 이유 등등이다.

최소 20만명 이상이 매년 살해당하고 있다. 태아가 인간인가의 문제로 여러 논쟁이 있지만 아무리 그렇다 해도 이 정도는 히틀러의 유대인 학살보다 심각한 문제다.

한편에서는 아기를 갖고 싶은데 생기지 않아서 온갖 시술을 해본다. 원하는 사람에겐 안 생기고 원치 않는 사람들에겐 쉽게 생겨서 이런 비극이 계속되고 있다.

여성 단체가 요구하는 대로 낙태죄는 폐지되어야 한다. 그러면 왜 그들은 이렇게 태아 살해도 자행하고자 하는 그녀들은 어린이집 아동 학대에 대해선 그렇게 심각하게 이야기하고, 유치원 폐쇄 문제에 대해 그렇게 대응했나? 그리고 성매매 여성들의 특별법 폐지 요구는 그렇게 냉정하게 대응했나?

낙태를 최대한 줄이는 노력이 이루어져야 한다. 저출산을 염려하면서 이런 무지막지한 학살이 계속되어선 안된다. 차라리 살해당하는 태아들을 지킬 수만 있다면 혼인 제도도 없애야 한다. 어떤 경제적 이유로 낙태하게 해선 안된다. 저출산 문제가 해소될 때까지 모든 예산을 아껴서 출산을 지원해야 하고, 영유아 보육에 돈을 보태줘야 한다. 어린이집이나 유치원이 아니라, 부모가 직접 돌볼 때에 더 큰 인센티브를 주어야 한다.

비혼, 미혼 속에서 아이를 가지게 되었을 때 아무 염려하지 않고도 출산하고 양육할 수 있도록 도와야 한다. 버닝썬 사건 정도는 아무 것도 아니다. 태아 살해 사건들에 비하면.

연간 태어나는 아동이 30만명 정도인데, 최소로도 20만명 최대로 200만명의 태아가 살해되는 일은 대한민국 정부가 해결해야 할 가장 시급한 일이다.

남미의 어떤 마약 카르텔도, 어떤 마피아나 야쿠자도 이런 수의 살인 사건은 저지르지 않는다. 태아들에게 있어선 대한민국이 베네수엘라나 멕시코 콜롬비아보다 훨씬 더 무서운 나라다.

잔악한 일제 731부대보다 더 잔악한 일이 대한민국에서 태아를 둘러싸고 지속적으로 일어나고 있다. 살해되는 태아들의 3.1 운동, 독립 운동이 일어나야 한다.

낙태죄를 폐지하기 전에 경제적 능력이 되지 않는 사람들의 무콘돔 성행위를 국가가 금지해야 한다. 강력한 형사처벌을 해야 한다. 성매매 특별법도 만든 나라인데 왜 이걸 못하나!

낙태죄를 폐지하기 전에 비혼 성행위를 전면적으로 금지해

야 한다. 모든 숙박업소에 들어가는 남녀를 신분 조사해야
한다. 태아 살해가 심각한가? 신분 조사가 심각한가?
 모든 비혼 남녀, 출산의지가 없는 남녀가 은밀한 장소에 둘
만 있는 것을 적발해서 형사 처벌해야 한다. 이 정도의 노력
도 하지 않고 낙태죄를 폐지하겠다는 것은 천벌을 받을 짓이
다.

18. 마라톤에서의 나의 실수

 어려서부터 달리는 것을 좋아했다. 잘 달리지는 못했지만
달리고 싶었다. 단거리는 항상 거의 꼴찌였다. 축구를 할 때
는 잘 달리는데, 100 m 시합에서는 항상 긴장이 심했고, 다
리가 굳어서 결국 8명 뛰면 7,8등이었다.
 그나마 장거리는 좀 나았다.

 초등학교 때는 600 m, , 중학교 때는 800 m, 고등학교
때는 1,000 m를 뛴 것으로 보인다.
 초등학교 3학년 정도 때일 것으로 보는데, 그 때 마이웨이
라는 영화를 보았고, 참 많이 울었다.
지금도 가장 좋아하는 중계 방송은 마라톤 경기다. 뛰는 사
람의 심장 박동과 숨막힘, 고독, 힘듦이 나에게 전해져와서
가끔 울 때도 있다.

1) 최초의 장거리, 목표와 마무리

고등학교 때 고교 친구와 전주에서 남원까지 자전거를 타고 가다가 한 10km 정도 갔는데 타이어가 펑크나서 둘 다 자전거를 끌고 오면서 다시 전주까지 뛰자고 해서 자전거를 밀면서 10km 정도를 뛴 적이 있다.

참 힘들었다. 비도 오고, 그런데 친구랑 뛰니가 포기하고 싶어도 경쟁심으로 그 말을 못했다. 그러면서 이 마라톤을 뛰면 서울대를 들어갈 수 있다는 생각을 했다.

그리고 둘이 정한 지점에 도착해서 자전거와 함께 쓰러졌다. 오정현 친구는 자전거를 세워 놓고 내 옆에 누웠다. 물어봤다. 너는 무슨 생각을 하고 뛰었냐고.

친구는 자기가 이 뜀을 완주하면 인생을 그렇게 완주할 수 있다고 생각하고 참고 뛰었다고 했다.

나중 곰곰히 생각해보니, 나는 서울대에 들어온 이후 참 많이 헤매었다는 생각이 들었다. 마치 자전거를 쓰러뜨린 채 누워버린 내 모습처럼.

이 친구는 여전히 인생의 마라톤을 뛰고 있고, 성공적으로 살아내리라 보인다. 그리고 자전거를 세워 놓고 뜀을 마무리 할 것으로 보인다. 이후엔 나도 어려운 뜀을 뛸 때, 더 길게 인생을 보고 달린다.

2) 대학에 가서부터 단축 마라톤 대회에 나가기 시작했다. 노력

서울대 마라톤 대회에 나갔는데 봉천동 고갯길을 달리다 여학생에게 추월당했다. 여학생들은 남학생보다 늦게 출발했는데도 그 1등 여학생에 추월당했다. 참 창피했다.

인생에서 육체적으로도 여자에게 질 수 있는 일이 있다는 것을 이 때 첨 알았다. 그만큼 어리석었던 것이다.

이 여학생은 체육학과 학생도 아니어서 더 충격이 컸다. 독어교육과 여학생이었던 것으로 기억한다. 아마도 평소에 지속적으로 운동한 여학생인듯하다. 노력을 하면 이렇게 된다.

3) 본격적 마라톤대회 참가, 오버페이스의 문제

2,000년에 전주 군산간 국제 마라톤대회에 참가했다. 황규홍 후배와 함께 나갔는데 이 때 이봉주 선수도 참여했다.

국제적인 선수들이 먼저 출발하고 그 뒤에 일반 선수들이 뛰어나간다.

후배와 나는 이 국제 선수들 그룹을 따라 잡자고 했다. 그래서 처음 1,000미터를 전력 질주했다. 그리고 결국 따라잡았는데 이 때 후배가 크게 소리 질렀고 이봉주 선수가 놀란 듯이 쳐다보았다. 이 대회에서 이봉주 선수가 성적이 좋지 않았다.

이 국제 선수들을 따라 잡았으니, 내 인생에서 가장 빠라 1,000미터 기록이었을 것으로 보인다.

이봉주 선수를 따라 잡고 황규홍은 그만 두었다. 너무 지쳤고, 나도 10 km 정도 더 뛰다가 포기했다. 초반 오버페이스로 몸이 심하게 무너졌다. 나중엔 오한이 너무 나서 후배들의 부축으로 사우나로 갔던 기억이 난다.

이 경기에선 후배처럼, 1 km 만 목표로 한 것이 좋았다. 아니면 이 오버페이스를 하지 말고 완주를 시도했어도 좋았다.

이 때 지역구의 한 국회의원도 같이 뛰었는데, 그 때 선거가 있어서 같이 경쟁하는 사이였다. 후에 나에게 물었다. 완주했느냐고, 그러나 그 때 그 의원을 별로 존경할 수가 없었다. 그의 선거 과정에서의 불성실 때문이었다. 그래서 퉁명스럽게 대답했다. 별로 그럴 필요는 없었던 것으로 보인다.

4) 최초의 마라톤 완주, 무리함의 문제

2002년 군산에서 전주까지 42.195km를 뛰는 국제 마라톤 대회였다. 이 대회를 뛰기 전에 매일 20km 씩 뛰었다. 주변에선 무리라고 나가지 마라고 했는데, 이렇게 연습했으니 무리는 아니었다.

그런데 당일도 컨디션이 좋았는데, 중간에 무리가 생겼다. 20km 지점까지 거의 1시간 30분 정도에 달렸으니 완주는 세시간 정도면 될 것 같았다. 하지만 나의 연습이 20km까지만 이었다는 것을 고려해야 했다.

20km를 뛰고 잠깐 쉬면서 먹은 것이 잘못되었는지 설사가 시작되었다. 여기서 멈췄어야 했다. 그런데 이번 아니면 또 뛰겠나 하는 생각이 들어서 이번에 완주를 하려고 한 것이

무리였다.

중간에 친구를 만났는데, 나를 불러도 뒤를 돌아보지 않고 손만 흔들고 갔다. 그 친구에게 말을 걸면 너무 힘이 빠질 것 같았다. 간신히 뛰는데 뒤를 돌아볼 힘도 없었다. 그런데 이 일로 그 친구가 상처를 받은 듯했다. 내 인생에서 나의 갈 길에 누군가의 부탁을 받을 때, 내가 취할 수 있는 행동에 관한 교훈을 얻을 수 있다.

이 때 그 친구와 말을 나누고, 나는 멈춰야 했다. 그런데 나는 내 목표가 더 중요했다. 이 친구보다.

같이 달려야 했다. 최소한 어느 정도라도. 내 인생에서 목표가 사람보다 중요할 때가 많았다. 이는 잘못된 것이다. 물론 마리아가 마르다의 요청을 거부한 것도 지혜지만 꼭 모든 때 그런 것은 아니다. 이를 잘 구별할 줄 아는 것이 지혜다.

그래도 30km까지는 뛰었는데 무릎 통증이 시작되었다. 설사는 계속되고 주변의 화장실에 들어가기도 했는데 멈추지 않았다.

그래서 달리면서 손에 낀 장갑을 벗어서 닦아낼 정도였다. 그러면 그만 두어야 했다. 다음 기회에 다시 뛰어도 되었다. 하지만 잘못된 레인맨 기질이 나왔다.

버스가 계속 따라 붙으면서 낙오자들을 타라 했다. 그러나 안하겠다 했다. 더이상 뛸 수 없어서 걸었다. 무릎 통증은 더욱 심해졋다.

그리고 5시간 15분 만에 골인 지점에 들어왔다.

이 일 후로 나는 요사이도 조금만 많이 뛰거나 하면 무릎에 통증이 온다. 참 바보같은 나다. 얼마나 어리석은지.

주식 투자에서 손절매라는 게 있다. 중간에 상황이 심하게 변하면 처음 목표도 수정해야 한다. 고집을 부리고 계속하는 일이 얼마나 어리석은지.

위에 적은 일들은 모두 나의 실수들이다. 내 인생에서도 이런 실수들을 반복하고 산다. 그래서 교훈을 삼아야 한다.

이 글을 읽는 여러분에게 도움이 되길 바래서 적는다. 나의 실수들을.

19. 청년의 때 경계해야 할 것들

에너지도 많고, 의욕도 많고, 또 또래 집단이 준거가 되어 함께 움직이기 쉬운 연령대이기 때문에 이 시기를 온전하게 보내는 것은 쉽지 않습니다.

그래서 세 살 적부터 잘 준비해서 와야 이 폭풍 노도의 시기가 오히려 축복의 시간이 될 수 있습니다.

성경을 어려서부터 읽고, 좋은 교회에서 신앙 생활을 할 수 있는 것은 큰 복입니다.

죄를 많이 지으면 인생이 크게 왜곡되어집니다. 그래서 의롭게 사는 훈련이 많이 필요합니다. 의로움도 그냥 되는 것이 아니라 훈련입니다.

우리는 다 실수가 많습니다. 그런데 그 실수에서 배우고 다시 실수하지 않도록 하고, 실수의 횟수를 줄여갈 수 있다면 좋습니다.

죄를 짓지 않기 위해 목숨을 다해야 합니다. 그러나 혹 죄를 지었다 할지라도 회개하고 다시 의로움을 위해 노력해야 합니다.

무엇이 죄인지, 무엇이 의로운 것인지에 대한 깊은 통찰도 필요합니다.

그래서 오랜 시간을 통해, 인류사에서 검증되어진 좋은 책들을 읽는 것도 중요합니다.

20. 청소년기의 여러분의 귀중한 경험 공유

자신의 귀중한 경험을 나 혼자 간직하기보다 주변에 알려 힘이 되고 유익을 끼칠 수 있는 지식을 여기 함께 올리는 것도 전도입니다. 도는 진리이고, 진리를 전하는 것이 전도입니다.

나보다 더 큰 일도 하리라고 주님께서 말씀하셨는데, 우리의 깨달음을 나누는 일에서도 그렇게 할 수 있습니다.

다윗은 이미 십 대 후반에 큰 일을 했습니다. 요셉도 십 대에 형들에게 팔려 이집트에 가서 노예가 되었습니다.

자신의 일들을 기록해두고 또 공유하는 것이 자신의 삶을 정리하고 후일에 여러 지혜를 얻을 수 있는 토대가 됩니다.

21. 수능,, 그리고 희망..

시험은 우리를 단련시킵니다. 시험에 여러 부정적 요소가 있긴 하지만, 그래도 시험은 우리를 향상시킵니다.

우리가 시험을 어떻게 대하느냐에 따라 바뀝니다.

시험을 통해 보다 그 일에, 그 자리에, 그 전공에 적합한 사람을 선발합니다.

설령 그것을 통과하지 못했다면, 과목별로 아직 부족하거나 또는 맞지 않는다는 것을 알 수 있는 일이기 때문에 이는 자신에게도 좋습니다. 부족한 부분을 보충하고, 잘 맞는 부분을 강화한다면 사회에도 큰 유익이 됩니다.

원하는 만큼 점수가 나오지 않았다 할지라도, 그것으로 끝은 아닙니다. 계곡에는 계속 새로운 물이 흘러옵니다. 수능은 인생의 한 요소입니다. 수능에 실패했다고 인생의 학업에 실패한 것은 아닙니다. 다른 배울 것은 여전히 많습니다.

수능을 계속 볼 것인지, 길을 바꿀 것인지도 생각해볼 수 있고, 대학을 일단 낮춰서 간 다음에 대학원에서 길을 업그레이드할 지도 생각해볼 수 있습니다.

또 편입도 한 방법이고, 유학도 한 방법입니다. 한 길이 막혔다고 모든 길이 막힌 것은 아닙니다.

인생은 마라톤입니다.

수능은 나를 위해 본 것이 아니고, 하나님을 위해 본 것입니다.

세상에 그 자체로 좋거나 나쁜 일은 없다고 세익스피어가 말했다고 합니다. 그것을 어떻게 처리하느냐에 따라 달라질 수 있다는 이야기입니다.

정치가 수능을 이런 긍정적 시험으로 바꿀 수 있기를 바랍니다.

그렇게 되려면, 승자 독식 구조를 바꿔야 하고, 모두가 자신의 능력을 찾아 계발하는 사회를 만들어 가야 합니다.

이것도 또 하나의 우리의 수능이고, 어른들의 수능입니다. 하나님 앞에서 감당해야 할 사명이고 즐거움입니다.

하나님께서 우리를 이 세상에 보내신 이유는 이 세상에서 즐거움을 가지고 놀이터로 삼아 맘껏 창조적 행위, 정의로운 행위를 하라시는 뜻으로 보입니다.

수능이 비록 상대적으로 평가하지만, 스스로의 적성을 찾는 길로 찾아간다면 모두다 자기 능력을, 자기 달란트를 최대화할 수 있는 길을 찾을 수 있습니다.

이런 점들을 수험생들에게 미리 주지시키는 것도, 수능이나 시험으로 인한 자살이나 좌절을 막을 수 있는 한 방법입니다.

22. 영어 공부

지식이 많으면 지식이 더합니다.

단어를 통으로 외우는 방식도 좋습니다. blue 와 sky를 따로 외우는 것보다 blue sky로 외우는 방식이고, 더 나아가 문장으로 외우고 구사하는 방법도 좋습니다.

성은이가 청취력은 어려서부터 많이 들어서 좋았는데, 독해 실력이 부족해서 매일 한글 성경과 영어 성경을 읽도록 했는데, 하루에 둘다 나누어서 일곱 장씩 읽었습니다. 그랬더니 독해 실력이 많이 증진되었습니다.

우리가 한국어를 잘 하는 것은 그만큼 많은 시간 노출되었기 때문입니다. 많이 말하고 읽고 듣고 쓰기 때문에 한국어 실력이 늡니다. 아기들은 태중에서부터 이렇게 노출됩니다.

영어가 잘 되지 않는 것이 아니라, 노출 시간이 적을 뿐입니다. 따라서 노출을 늘리면 자연스럽게 외국어 실력은 늘게 됩니다.

흥미는 모든 학습에서 중요한데 흥미를 유지하면서 배워간다면 일취월장할 것입니다.

기본적으로 한글 성경의 내용을 잘 알게 되면, 같은 내용이기에 여러 언어를 성경으로 배우기 쉽게 됩니다. 성경의 언어는 각국의 최고 수준의 학자들이 번역에 참여하였음으로 정제된 문장들입니다.

히브리어, 헬라어, 영어, 프랑스어, 중국어, 독일어 등 다양한 언어를 성경을 통해 배울 수 있게 됩니다.

23. 읽기, 말하기, 듣기, 쓰기의 중요성

위 네가지는 인생 내내 계속해야 할 입니다.

읽어서 정보를 습득하고, 말하면서 내 의견을 사람들과 공유하고, 또 상대의 의견을 주의깊게 듣고 공감하고, 비평하고 함게 하는 것이 중요합니다.

글을 써서 여러 사람에게 분명히 뜻을 전달하는 것도 인류에 기여하는 바입니다.

글쓰기는 생각을 정리해주고 이를 반복하면 정확하게 말할 수 있게 됩니다. 이는 다시 읽기를 도와줍니다. 서로 상호작용하면서 읽기 말하기 듣기 쓰기가 진전되게 됩니다.

유투브 등에도 자신의 동영상을 올려보고, 페이스북 등에도 정제된 글을 쓰고 그리고 이들을 모아 책으로 내보는 작업도 소중합니다.

24. 삐지는 것의 어리석음

루소도 이 이야기를 하신 적이 있는데요. 인간 관계 속에서

삐져서 행동하는 것이 어리석을 때가 있습니다. 차라리 의사소통을 정확히 해서 상대와의 사이에 오해가 된 부분을 푸는 것이 좋습니다. 그러나 오해가 아니라면 정확히 판단하고 합리적으로 분리하는 것도 좋습니다.

삐져서 모기 배 차라는 식으로 행동하면 큰 손실이 있게 됩니다. 선생님이나 주변 친구로부터 모멸을 받았다 할지라도 삐질 이유가 없습니다.

속을 많이 상하게 하겠지만 그들이 내 인생의 주인이 될 수도 없고 그들이 내 기쁨을 가져갈 수도 없습니다.

담담히 자신의 길을 가야 합니다. 네가 그들에게 갈 것이 아니고, 그들이 내게 와야 합니다.

25. 인문 사회 자연과학 공부하기

책을 통으로 읽는 것이 중요합니다. 단편적으로 한 책에서 발췌해서 읽는 방식보다는 좋은 책을 골라 통독하는 것이 중요합니다. 고전이나 각 분야의 주요 서적들로 인정된 책들은 꼭 전체를 다 읽는 게 중요합니다.

성경부터 시작해서 동서양의 고전과 주요 서적들을 방학이나 휴일들을 이용해 빠르게 정독해나가면 사물의 이치를 이해하는 데 큰 도움이 됩니다.

주요 논문 읽기도 중요한 공부 방법입니다. 최선을 다해 학자처럼 열심히, 꾸준히 공부해야 합니다.

이렇게 하면 전체적 논지를 확보할 수 있고, 자신의 논지도 책 한 권을 쓸 수 있을 정도로 확보해갈 수 있습니다.

책을 비평적으로 읽고, 저자의 생각을 비틀어보기도 하는 것도 중요한데요, 성경을 읽으면 이런 기초 능력이 배양됩니다. 내가 주의 말씀을 종일토록 묵상하므로 나의 지혜가 스승의 지혜보다 낫다고 고백하는 말씀이 있습니다.

자연과학도 상상력이 중요한데요, 성경을 읽고 거기에서 출발해서 여러 지식을 더하고, 특히 요즘에 유투브 등에서 시각화한 자료를 많이 보여주기에 학습에 큰 도움이 된다고 봅니다.

대학들에서 여전히 오래된 교제를 사용함으로써 자연 과학이나 공학 발전 속도를 따라가고 있지 못하다고 하는데요. 인문 사회과학 전공자들도 이제는 문과 이과를 가리지 않는 방식으로 변화되니 폭넓게 공부하는 것이 좋다고 봅니다.

자연과학 전공자들도 인문 사회 과학 고전들을 읽는 것이 큰 도움이 됩니다. 어떤 분들은 물리학은 철학에 가깝다고도 하는데요, 모든 학문은 서로 연결되어 있다고 봅니다.

우리의 정신 세계가 우리 몸이라는 생물학적 토대와 연결되어 있듯이요. 따라서 우리가 다양한 학문을 연계하여 공부하는 것도 학문의 깊이를 넓혀주는 좋은 방법이라고 봅니다.

26. 시험 준비

예상 문제를 뽑아 보고, 예상 답안을 마련해보는 방식으로 준비하면 좋은 결과를 거둘 수 있다고 봅니다.

교수님이나 선생님이 어떤 문제를 낼 지 주의 깊에 생각해 보는 것은 수업 듣는데 집중할 수도 있습니다.

이 뿐만이 아니라, 인생 자체가 시험의 연속입니다. 필기 시험이 아닌 인생 자체의 시험입니다.

하나님께서 우리에게 여러 시험 문제를 내십니다. 이는 성경을 통해서, 그리고 고전을 통해서 인간이 공통적으로 겪게 되는 시험 문제를 알아보고 대처하는 것이 좋습니다.

실패도 시험이고, 병, 주변 인간 관계, 죽음 모두 인생의 시험입니다.

27. 오리엔테이션 참가 중요

어떤 생활을 시작하기 전에 오리엔테이션을 받고 충분히 준비하고 가는 것은 아주 중요하다고 봅니다.

신입생도 대학생활 시작하기 전에 오리엔테이션을 받는 게 중요하고, 대학 생활에 관한 여러 서적을 보는 것도 필요합니다.

이 원칙은 직장이나 결혼, 또는 모든 삶의 중요한 부분에 적용할 수 있다고 봅니다.

성경을 읽는 것은 인생 전반에 대한 오리엔테이션을 받는 것입니다. 중요한 고전들도 마찬가지입니다.

주변의 지혜로운 분들에게 의견을 구하고 행동하는 것은 모사를 얻는 일입니다. 모사가 많으면 전쟁에서 승리하고 경영이 든든하게 섭니다. 항상 묻고 상의하고 행동하는 것이 중요합니다.

28. 학기 중에는 학업에 집중해야

대학에 가면 학기가 있고, 방학이 있는데 학기 중에 여러가지 과외 활동에 시간이 빼앗기게 되다 보면 본업인 학업을 소홀히 할 수 있다. 특히 중간 고사, 기말고사 그리고 중간중간의 레포트와 페이퍼 웍 등으로 본업을 소홀히 할 수 있다.

그래서 학기 중에는 학업에 충실하고, 방학을 이용해 더 해야 할 과외 활동을 하는 편이 좋다고 본다.

나도 학기 중에 8가지 직책을 맡아서 하다가 큰 곤욕을 치른 적이 잇다. 마르다처럼 나갔던 방식이다. 마리아의 집중이 학기 중에는 더 필요하다고 본다.

물론 폭넓은 경험이 필요한데 이런 것은 방학을 이용하는 편이 좋다고 본다.

29. 성매매를 하게된 원인은 생활비 마련 때문이었다

아래의 일도 오래 전 자료인데요 여전히 이런 비극적 현실은 지속되고 있습니다.

보도 자료 : 청소년 보호 위원회

성매매를 하게된 원인은 생활비 마련 때문이었다 88.2%로 밝혀져,
- 청소년보호조치에 의한 의탁조치가 있는기관은 38.1%에 불과
담 당 : 보호지도과(parkws@youth.go.kr) tel. 3703-2071
조회수 : 2070
날 짜 : 2001-07-26

내 용

○국무총리 청소년보호위원회(위원장, 金聖二)와 대한불교청소년교화연합회 인천지부(지부장, 김선일)는 7.26일 한국프레스센타 19층 기자회견장에서 2001 청소년성보호 제2차 토론회 "성매매 대상 청소년 어떻게 할 것인가"를 주제로 토론회를 공동으로 개최하였다

-이 세미나에서 인천불교청소년교화연합회인천지부는 서울·경기 지역의 45개 선도보호시설을 대상으로 한 설문조사 분석결과를 발표하였는바,

- 이들 기관 중에서 성매매 청소년이 입소한 사례가 52.3%로 매우 높게 나타났으며, 이용 청소년중 성매매 경험이 있는 청소년이 10%이상인 경우도 45.5%로 나타났다. 이중에서 청소년 보호처분

에 의한 조치로 의탁조치가 있는 기관이 38.1%에 불과해 성매매 청소년들을 대상으로 한 보호처분이 제대로 이루어지지 않고 있음을 알수 있었다.

- 이들 기관에서 성매매 청소년들을 대상으로 각종 프로그램을 운영한 결과 가장 많은 기대효과를 가져온 것은 '자아정체감 프로그램'이었으며 성매매 청소년들이 가장 필요로 하는 것은 '인간관계유지훈련'인 것으로 나타났다.

- 한편, 성매매 청소년들을 성매매를 하게된 이유로 88.2%가 '가출후 생활비마련 때문'이었다 고 응답하였으며 '인터넷 채팅'이 주요 매체였다고 응답하였다. 상대방의 나이는 20대와 30대가 높게 나타났는데 이것은 이들이 인터넷을 비교적 자유롭게 사용할 수 있는 연령 대이기 때문인 것으로 분석되었다.

- 이어 사례발표를 통한 청소년보호시설의 성매매 대상청소년의 사회복귀프로그램 및 현황에 대한 토론에 있어

- 이미영(대구가톨릭 여자기술원)은 "개인상담을 중요하게 생각하고 또래집단을 중심으로 한 미용, 양재, 컴퓨터등의 기술교육과 진학을 위한 검정고시교실운영등을 통한 다양한 문화프로그램을 소개하고 있다"고 말하였다.

- 송연순(가톨릭 살레시오 여자수도회)은 "친아버지로부터 성폭행을 당하고, 어머니로부터 버림받고, 오빠로부터 폭행을 당하는등 가까운 사람으로부터 받은 심리적, 신체적 고통 및 상처로인한 불신과 고통, 자아존중감 상실은 건강한 사회인으로 성장하는데 큰 걸림돌"이 된다고 말하고,

- "일시보호시설의 역할이 불분명하고, 가정형 중장기 그룹홈이 거의 미인가 시설이며, 장기그룹홈시설의 미비, 전문적인 치료가 가능하도록 제도화하여 청소년들을 바라보는 우리의 의식과 시선을 재점검할수 있는 기회로 삼고, 성매매 대상청소년이 지난 생활을 정리하고, 상처극복을 위한 시간이 필요하며, 가정형편이나 개인사정으로 학교를 중퇴한 10대 청소년들을 수용하는
대안학교를 특성화학교로 인정해줄 것"을 요구하였다

- 특성화 학교를 대신하여 토론에 참가한 우장훈(법무부 안양소년원)과장은 재범방지라는 목표달성을 위하여 지식정보사회에 경쟁력 있는 직업능력, 다양한 사회봉사활동과 현장체험 학습위주의 개방형인성교육으로 건전한 가치관의 정립 및 시민의식함양,잃어버린 자아와 자신감회복 및 손상된 가정복구, 안정된 직장취업 및 완전한 사회복귀를 위한 다각적인 지도와 지원등 이라고 밝혔다

- 또한, 보호처분을 받아 안양소년원에 수용된 여자 원생 110명을 대상으로 조사한 바에 의하면 '청소년 성매매에 대하여 어떻게 생각하는가'에 대하여 일반학생들은 49.8%가 '어떠한 이유로도 성매매는 용납할수 없다'라고 강한 반응을 보인 반면 수용학생들은 29%가 '돈버는 방법의 하나 일뿐'이라고 응답하였다 고 발표하였다

- 이어서 "성매매 대상청소년에 대한 체계적이고 전문적이며 구체화된 프로그램의 마련이 시급하며 단기적으로 전문가들을 초빙하여 집단상담프로그램을 실시하고, 장기적으로 담당직원이나 관련직원들에 대해 위탁교육실시등 교육기회를 부여하여 기관의실정에 맞는 체계적인 전문교육프로그램을 개발·수립할 수 있는 역량을 키워나가야 할 필요성이 요구된다"고 주장하였다.

○한편 성매매청소년의 사회복귀방안을 주제로 발제에 나선 이정미 (한국여성의 집)씨는 선도보호시설에 입소했던 성매매 청소년들은 대부분이 가족과 연락이 두절된 만성가출 청소년이거나 해체가정의 청소년들로 대부분 어려서 가정폭력과 성폭력의 경험을 가지고 있고 성경험이 습관화되어 있어 자신의 문제행동을 심각하게 생각하고 있지 않다고 밝혔다.

- 또한 "성매매 청소년을 보호할 수 있는 선보호시설의 경우 시설의 노후화와 공간의 협조, 전문인력의 부족등으로 사치스러운 생활에 젖어있던 성매매 청소년들을 수용하는데 여러 가지 문제점이 있어, 이들을 선도보호하기 위한 각종 교육프로그램의 개발,전문인력의 양성, 지원과 함께 시설의 개·보수를 통한 현대화,시설수용청소년들에 대한 용돈지급등 정부의 적극적인 지원이
필요하다"고 밝혔다.

○이에 대하여 토론에 나선 전경숙(한국청소년개발연구원) 연구원은 "성매매의 경험이 있는 청소년이 향락산업으로 재유입되는 것을 차단하기 위하여 기술과 기능을 바탕으로 노동의 기회가 확대되어야 한다"고 주장하고, 성매매 청소년을 위한 특성화된 쉼터의 지정·운영이 시급하다"고 말하고 "자립·자활을 위한 중장기시설의 확대가 요구된다"고 말하였다.

- 이어 박용철 신부(천주교 살레시오회)는 "현행 대안학교의 부적응을 기존교육제도의 틀속에 포함시켜 인성교육, 치료기능이 부가적으로 첨가된 교육기능"을 강조하였다

- 방기연 연구원(불교상담개발원)은 사회복귀를 하는데 있어서 효율성 있는 지원체계를 마련하기 위한 요인으로 성매매 청소년들에

대한 인식, 교화또는 보호시설, 가정과 연계, 행정적인 뒷받침., 책임지는 주체의 문제등을 꼽았다.

- 박금혜 실장(서울YMCA 청소년쉼터)은 "청소년가출 및 성매매문제는 유관기관과의 긴밀한 협조체제를 구축하여 체계적으로 접근하여야 한다"고 강조하였다.

30. 청소년 고용 티켓다방 전국적으로 성행

오래 전 일인데 지금도 이와 비슷한 일들이 여전히 벌어지고 있습니다.

보도 자료 : 청소년 보호 위원회

담 당 : 중앙점검단(k1503@youth.go.kr) tel. 3703-2296
조회수 : 3789
날 짜 : 2001-05-24

내 용

○국무총리청소년보호위원회 중앙점검단(단장 金聖二)에서는 최근 전국적으로 다방업소에서 청소년들을 고용하여 불법영업(소위 티켓영업)을 자행하고 있다는 정보에 따라 단속을 실시한 결과 5개 업소를 적발하였다고 밝혔다.

○2001. 5. 7부터 5. 16(10일간)까지 익산시, 전주시, 김천시, 군

산시, 경주시등 중·소도시에 대한 다방업소의 영업행태조사 및 단속을 실시한 결과 티켓영업이 다시 성행하고 있었으며 그중 청소년들을 고용하여 윤락행위를 조장하는 업소도 상당수 적발되었다.

○전북 익산시 동산동 1038-1 소재 여시다방(대표자 : 신○○, 19세)은 여자청소년인 강○○(15세) 및 이○○(16세) 2명을 부모의 동의없이 고용하여 윤락행위까지 조장하면서 종업원의 인건비도 제대로 주지 않은 것으로 밝혀졌고,

○전북 익산시 평화동 145-15 소재 키스다방(대표자 : 이○○, 28세)은 2001. 5월 초순부터 휴게음식점(다방) 영업신고도 하지 않고 영업하면서 여자청소년 심○○(16세)을 부모의 동의없이 고용하여 노래방에 1~2시간씩 가서 손님들과 노래를 부르게 하도록 하다가 적발되었고

○경북 김천시 부곡동 366-1 소재 열린다방(대표자 : 최○○, 31세)에서는 여자청소년인 김○○(15세) 및 이○○(15세) 2명을 부모의 동의없이 고용하여 차배달을 시켰고, 종업원 배○○(20세)에게는 노래방, 여관등에 티켓영업을 시키다가 적발되었으며

○전북 전주시 덕진구의 예인다방 및 국희다방은 여자청소년 1명씩을 부모의 동의없이 고용하여 오전 9시부터 오후 11시까지(1일 14시간) 차배달을 시키다가 적발되었다고 밝혔다.

○한편, 청소년보호위원회에서는 가출하여 다방에서 일하고 있던 강○○(15세)는 부모가 없어 ○○여중 3학년 담임선생님께 보호토록 인계하고, 심○○(16세)은 부모에게 연락하여 현지에서 인계하였으며,

○불법영업을 하다가 적발된 여시다방, 키스다방 및 열린다방은 관할 경찰서에 식품위생법, 청소년보호법 및 근로기준법 위반으로의 법조치토록 하고, 예인다방 및 국희다방은 근로기준법 위반으로 관계기관에 조치토록 통보하였다고 하였다.

○또한, 청소년보호위원회는 전국적으로 불법영업을 자행하고 있는 다방업소가 근절될 수 있도록 관계부처 합동단속을 주기적으로 실시키로 하였으며, 지방자치단체에서도 검찰·경찰, 지방노동청등 관계기관과 합동단속을
지속적으로 실시하도록 지시하였다고 밝혔다.

31. 청소년 다윗의 정치가적 자질과 여러분

다윗의 집안은 유명하지 않았습니다. 요즘으로 말하면 평범한 서민 가정이었다고 볼 수 있습니다. 다윗 스스로도 그렇게 고백한 적이 있습니다. 그런데 이 분이 이스라엘에 전무후무한 왕이 될 수 있었던 것은 무엇때문일까요?

청소년 시절을 보내는 하나님의 중고등학생들이 다윗을 잘 묵상해본다면 좋은 교훈을 얻을 수 있을 것입니다.

서울 강남과 강북의 청소년을 비교해보았더니 문화 수준 격차가 상당히 있었습니다. 과외를 받는 비율, 해외 여행 경험, 소비 수준, 학력 등의 격차가 심각한 정도라는 것이 최근 발표되었습니다.

그러면 강남 출신 중고등학생들 중에서 이 나라를 이끌어갈 훌륭한 사람들이 많이 나올까요?

다윗에게는 7명의 형이 있었습니다.

사울을 버리신 하나님께서 이새의 아들들 중에서 택하신 자에게 기름을 부으라고 하셔서 사무엘은 이새와 그 아들들을 제사에 초대하였습니다.

첫번째 나온 장남 엘리압을 보자 사무엘도 오판을 할 정도였습니다. 용모와 신장이 뛰어났던 듯합니다. 그러나 하나님은 이미 그를 버렸노라고 말씀하셨습니다.

7명의 아들들이 다 지나가도록 하나님은 택함을 주지 아니하셨습니다.

왜 이런 일이 벌어졌을까요?

아마 장남 엘리압은 압구정동의 오렌지족과 같은 사람이었던 듯합니다. 잘 생기고 키도 크고 장남이니 그 동네에서 처녀들을 울리며 오렌지족 행세나 하며 살지 않았나 싶습니다. 그래서 하나님은 그를 이미 버렸다고 하신 것같습니다.

나머지 형들도 버리운 정도는 아니지만 택함을 받을 수준은 아니었나 봅니다.

그러나 말째 다윗은 달랐습니다.

7명의 형들이 제사에 초대되어 갔을 때 그는 초대도 받지 못하고 양을 지키고 있었습니다. 아마도 형들이 그에게 말했겠지요. '오늘 사무엘님이 오셔서 제사에 아버지와 우리 형제들을 초대하셨는데 막내 다윗 너는 어리니 양이나 지키고 있어라.'

다윗은 뭐라 말했을까요? 아마도 불평하지 않았던 듯합니다.

그러면 다윗은 왜 그렇게 살았을까요?

이새는 베들레헴에 살았습니다. 베들레헴은 예루살렘 성전과 가까운 곳입니다. 당시에 성전에 제사드리러 온 사람들은 근처 마을에서 제사에 드릴 양들을 샀을 것입니다.

아마도 다윗이 치던 양들은 바로 여기에 소용되어졌을 것입니다.

다윗은 후에 골리앗과 싸우기 전에 사울에게 자신을 소개하

길,

'주의 종이 아비의 양을 지킬 때에 사자나 곰이 와서 양떼에서 새끼를 움키면 내가 따라가서 그것을 치고 그 입에서 새끼를 건져내었고 그것이 일어나 나를 해하고자 하면 내가 그 수염을 잡고 그것을 쳐 죽였었나이다 주의 종이 사자와 곰도 쳤은즉 사시는 하나님의 군대를 모욕한 이 할례 없는 블레셋 사람이리이까 그가 그 짐승의 하나와 같이 되리이다 또 가로되 여호와께서 나를 사자의 발톱에서 건져내셨은즉 나를 이 블레셋 사람의 손에서도 건져내시리이다.'(삼상 17:34-37a) 라고 했습니다.

다윗이 목숨을 걸고 양을 지킨 것은 그 양들이 하나님의 성전에 거룩히 바쳐질 제물들로 키워지는 것이었기에 그랬을 것입니다. 그래서 그는 사자와 곰과 싸우는 것도 마다하지 않았습니다.

그러나 그의 형들은 이 양들을 우습게 보았을 것입니다. 양 지키기란 재미도 없고 위험하기도 하며 똥냄새도 나고 번거로운 일이었을 것입니다. 그래서 양 지키는 것은 대체로 다윗의 몫이었을 것입니다. 그리고 이 날도 형들은 잔치 자리에 가고 막내 다윗은 양을 지켰을 것입니다.

하지만 다윗은 불평하지 않았을 것입니다. 하나님이 그와 함께 하셨고 그에게 많은 은혜를 그 자리에서 주셨기 때문입니다. 그래서 다윗은 위험이 따르는 일이지만 양을 지키는 일을 즐겨 했을 것입니다.

바로 이런 다윗을 하나님은 항상 지켜보고 계셨던 것입니다. 그의 중심이 어디에 있는지를 아셨습니다. 하나님께 바쳐질 양을 목숨 걸고 지킬 사람이라면 하나님의 양무리인 이스라엘 백성들도 그렇게 지켜줄 왕이 될만한 사람이라고 하나님은 여기셨던 것입니다.

그가 소년임에도 불구하고 골리앗과 싸우기 위해 나가서 사울에게 한 말에서 지도자적 자질이 잘 나타나 있습니다.

하나님이 지켜주실 것임과 하나님의 이름을 위해서 싸울 것임과 노략당하는 백성들을 불쌍히 여기는 마음이 잘 드러나고 있습니다.

양을 지키기 위해 사자와 곰과 싸우던 때의 마음과 골리앗에게 노략질당하는 이스라엘 백성을 바라보는 마음이 정확히 일치하고 있습니다.

바로 하나님이 지도자로 세우시는 사람은 이런 사람입니다.

자신만을 생각하고 이생의 자랑과 육신의 정욕과 눈귀의 즐거움을 좇는 사람이 아니라 고통당하는 이웃, 연약한 사람들을 위해 자신의 시간과 힘과 마음을 쏟아붓는 사람입니다.

어려서부터 주변을 돌아보고 지역 사회를 염려하고 나라와 세계의 장래에 대해 고민하고 자신이 해야할 바에 충실한 사람을 하나님께서는 세계적인 지도자로 키우시는 것입니다.

그러나 그 길은 결코 쉬운 길이 아닙니다. 때로 사자와 곰을 만날 때가 있습니다. 하지만 두려워하지 아니하고 약자를 지키기 위해 목숨을 걸고 나서면 하나님은 반드시 그를 지켜

주시고 그가 지키려고 했던 사람들도 구해주실 것입니다.

 학교에서 왕따를 시키는 가해 학생들에게서 연약한 친구들을 보살펴줄줄 아는 친구가 되는 것도 다윗의 한 모습일 수 있습니다.

 다윗은 사자와 곰과 싸우기 위해 많은 연구를 했습니다. 물맷돌이 그것입니다. 영어 성경에서는 이것을 미사일이라 표현했습니다. 일종의 미사일을 개발한 것입니다. 골리앗과의 싸움에서 등장하는데 달리면서 정확하게 골리앗의 이마를 친 것을 보면 평소에 다윗이 얼마나 많은 연습을 했는지를 알 수 있습니다.

 상대를 연구하고 준비했던 것입니다. 의협심만 가지고 무모한 싸움을 한 것이 아닙니다.

 의로운 청소년이 싸워야 할 상대는 수도 많고 그 수준도 다양할 것입니다. 그래서 열심히 그 적들에 대해 연구해야 합니다. 그리고 나만의 독특한 무기도 준비해야 합니다. 하나님은 그 준비 과정에 지혜와 용기를 주실 것입니다.

 이 나라는 지금 내부적으로도 어려움에 처해있고 외부적으로도 힘든 상황에 있습니다.

 내부적으로는 여러 부패한 정치인들과 일부 부도덕한 기업가들이 정치 권력과 부를 장악하고 있습니다. 남북은 갈려 있고, 동서는 분열되어 있습니다.

 외부적으로는 교과서까지 왜곡하는 사악한 무리가 지도부로 있는 일본과 세계를 자기들의 종쯤으로 여기는 부시 행정부의 미국이 이 나라를 좌지 우지하려하고 있습니다. 중국과 러시아도 만만치 않습니다.

하나님께 버림 받은 사울이 통치하고 있고, 이웃 강대국 블레셋에게 고통당하고 있는 소년 다윗의 조국 이스라엘이 처한 현실과 비슷합니다.

그래서 우리에겐 다윗과 같은 소년들이 필요한 것입니다. 하나님의 성령에 충만하고 지혜가 넘치며 작은 일에 충성된 소년들이 요구되는 시대입니다.

여러분은 그렇게 될 수 있습니다.

소년 다윗처럼 살아간다면 반드시 세계의 여러 나라를 섬기는 국제적 지도국가 대한민국의 지도자로 하나님께서 여러분을 세워주실 것입니다.

하나님이 세상을 섬기라고 주신 각자의 달란트, 즉 적성을 잘 살펴보아 이를 잘 개발해야 합니다. 다윗처럼 열심히 연구해야 합니다.

환자를 고치는 의사로서, 환경을 보호하는 환경미화원으로서, 사람들에게 참된 기쁨을 주는 예술가로서, 국민들의 삶을 보살피는 행정가와 정치가로서, 아이들을 훌륭하게 키우는 교사로서, 무공해 먹거리를 생산하는 농축산인으로서 등등 하나님께 택함을 받을 만한 최적의 인물이 되기 위해 열심히 공부하고 준비하고 실천해야 합니다.

그러면 여러분들로 인하여 이 나라와 세계 여러 나라의 힘 없고 고통받는 많은 사람들이 희망을 얻을 것입니다.

다윗의 자손 그리스도 예수께서는 그 목숨을 양무리를 위하여 십자가에서 바치셨습니다. 우리는 하나님의 자녀입니다. 그래서 우리도 양무리를 위하여 다윗처럼, 그리스도처럼 달란트를 사용하여 목숨을 바쳐야 하는 것입니다.

32. 희생해야 할 때와 내 길을 가야 할 때

인생에서 주변에 희생해주어야 할 때가 있고, 내 길을 가야 할 때가 있습니다. 이를 잘 구별하지 못할 경우가 많습니다.
특히 어린 나이에는 이럴 경우들이 많습니다.
공부해야 할 나이에 아르바이트로 많은 시간을 허비하는 경우들이 있습니다. 저도 그러했는데요. 이는 바람직하지 않습니다. 마르다는 마리아에게 돕기를 청했지만 마리아는 예수님 말씀 듣는 일에 전념했습니다.
베드로도 말씀과 기도에 전무하지 못하고 구제 일에 시간을 다 쓰다가 반성하고 그 일을 할 사람들을 찾아서 맡기고 자신만이 할 수 있는 일에 전념했습니다.
인생에서 이런 것이 필요합니다.

33. 대학의 전공 선택

내가 평생 어떤 분야의 전문가가 되어 직업을 가지고 살 것인지를 미리 알아보고 결정하여 이를 위해 준비하는 것이 필요합니다.

 이를 위해서는 적성 검사도 받아보고 다양한 서적도 읽어보고 여러 직업 세계에 대해서도 알아보아야 합니다.

 루소는 이런 얘기를 한 적이 있습니다.

 자기가 알고 있는 어떤 하인이 있었는데 그림을 그렸습니다. 이 사람은 자기 집 주인이 그림을 그리는 것을 보고 배우기 시작하였는데 진보가 없었습니다. 그래도 그는 계속 그림을 그렸습니다.

 루소가 보기에 그는 그림에 재주가 없었습니다. 다만 그림 그리기를 좋아하고 있었을 뿐입니다.

 루소는 그를 어리석다고 생각했습니다.

 잘 할 수 있는 것을 해야하지 좋아한다고 어떤 직업을 선택하면 안된다는 것이 루소의 생각이었습니다.

 일리가 있다고 봅니다.

 이왕이면 잘 하기도 하고, 좋아하기도 하는 직업을 택한다면 금상첨화라 하겠습니다.

 학교에서 여러 수업을 받으면서, 또 스스로의 탐색을 통해서 이런 분야를 찾아내어야 합니다.

34. 실연의 좌절이 있을 때

청소년 시기만큼 사랑의 열병을 앓는 때도 없습니다.

이것을 통해 성숙되어집니다.

그러나 내가 좋아하는 사람이 내 마음대로 나를 좋아해주지 않는 때가 있을 것입니다.

사람의 편에서 최선을 다해야 할 것입니다.

하지만 보다 중요한 것은 그 사랑도 세상에 대한 사랑을 넘어설 수 없다는 것입니다.

세상에 대한 사랑 속에서 나의 에너지 쏟기를 조절해야 합니다.

진정한 사랑이란 세상을 함께 사랑해갈 수 있는 사람과 만들어갈 수 있습니다.

실연은 그런 사랑을 찾아가는 과정이어야 합니다.

그러나 이런 과정에서도 순결은 반드시 지켜져야 합니다. 평생을 함께 살 사람과 그와 또는 그녀와의 사이에 낳을 자녀를 위해 몸을 거룩하게 지켜야 합니다.

35. 대학 입시에 낙방한 청소년을 위해

인생에서는 실패가 찾아올 때가 있다.

대학이란 무엇인가? 학문을 연구하는 곳이며 인격을 연마하는 곳이다. 그러나 우리 사회에선 직업과 결혼 등에 있어서 프리미엄을 제공해주는 곳이기도 하다. 그래서 그 본질보다 외적인 것들로 인하여 대학 입학 실패는 증폭되어 나타난다.

하지만 지혜로운 청소년이라면 이 거품을 걷고 문제의 본질을 볼 수 있을 것이다.

내가 내 일생을 통해 이 땅 가운데서 이루어야 할 일을 깊이 생각해보아야 한다. 그리고 그에 맞는 길을 찾아가면 된다.

때로 늦더라도 정진한다면 분명 이 땅 가운데 선한 것들을 만들어 놓고 갈 수 있기 때문이다.

36. 황금알을 낳는 거위를 잡아먹은 들릴라

들릴라는 왜 삼손을 블레셋의 손에 넘기고 돈을 받고자 했을까! 블레셋인들이 그런 제안을 해 왔을 때 삼손에게 부탁하면 더 많은 돈을 삼손에게서 얻을 수 있었는데 그녀는 삼손을, 자신을 사랑하는 삼손을 블레셋에 팔아 넘겨버린다.

마치 가룟 유다가 예수님을 팔아넘겨버리듯이.

남편을 내조를 잘 해서, 또는 아내에게 외조를 잘 해서 더 잘 되게 만들어서 그 과실을 나눠먹으면 되는데 이것을 못하는 경우들이 많다.

37. 혼자 있을 때를 삼가라

청년의 시절은 여러 가지 점에서 힘이 넘칩니다.

그러나 그 넘치는 힘이 잘못 사용되어지면 자신의 인생을 꽃피울 에너지가 고갈되고 치욕만이 남게 됩니다.

그래서 청년의 시절에 혼자 있을 때, 스스로를 경건하게 유지할 줄 알아야 하고 절제할 줄 알아야 합니다.

이것도 한 순간에 되어지는 것이 아니라 부단히 노력하고 연습해야 합니다.

동성의 좋은 친구를 사귀어야 하며, 때가 되면 훌륭한 이성 친구도 사귀어야 합니다.

특히 후자는 일생의 반려자가 되어 함께 이 세상을 아름답게 만들어갈 동역자로서 가장 소중한 친구라 할 수 있습니다.

정욕이 넘치는 청소년은 좋은 이성 친구를 빨리 만나서 일찍 결혼하는 것도 좋은 방법이 될 것입니다.

38. 새 술은 새 부대에!

이는 인류 역사를 통해 증명된 법칙입니다.

우리 나라를 새롭게 변화시켜야 할 사명을 완수해야 할 정치 권력이라는 새로운 술을, 과거의 타성에 젖어있는 민주당

한나라당 자민련 등의 정치인들과 같은 헌 부대에 담아두니 이런 모습밖에 나올 수 없는 것입니다.

새 뿌리들이 일어나야 하고 세월을 기다리며 준비해야 합니다.

기나긴 겨울 동안 흙 속에서 죽어있는 것 같았던 씨앗들이 새싹을 피워내듯이 우리의 청소년들, 자각한 청소년들이 그러한 일들을 해낼 수 있을 것입니다.

39. 한 여자 가수와 예수님

청소년 시기에 연애인을 좋아하는 것은 거의 매 세대가 같은 듯하다.

이 시기에는 그럴 수밖에 없다. 청소년의 입맛에 맞게 각색되어진 것들을 그들이 피할 수 있기에는 역부족이기 때문이다.

루소도 말했듯이 이 시기에는 쉽게 선동되어질 소양이 다분한데다 이 본질을 노리는 세력에 의해 그들은 피상업적 도구로 전락하고 만다.

연애인 중에도 진리를 위하여 그 활동을 하는 사람들이 있다.

그러나 상당수의 사람들이 돈을 위하여 그렇게 한다. 그러니 인기를 올리기 위해서는 좀더 자극적이고 선동적인 방법을 쓸 수밖에 없다.

한 여자 가수가 부르는 성인식이라는 노래를 TV에서 보면 이런 점이 확연히 드러난다. 후에 이 가수는 이 시기가 너무 힘들었다고 고백한다. 그녀는 예수님을 믿는 사람이었는데 기획사가 자신을 이렇게 몰아갔으니 그 고통이 얼마나 컸겠는가! 이렇게 착취당하는 어린 연예인들이 많다.

그 외에도 많은 가수나 탤런트, 코미디언들이 진리와 먼 곳에서 그들을 유혹하고 있다. 그 배후에는 방송사, 광고업계, 기업들이 자리하고 있다.

네 자녀나 누구라도 나보다 더 사랑한다면 그는 내게 합당치 않다고 예수님께서 말씀하셨다.

청소년 시기에 연애인은 신이다.

그러나 하나님은 그 누구도 자기를 대신할 신이 되는 것을 원치 않으신다. 이것은 하나님이 이기적이시기 때문이 아니며 그 길이 인간에게 가장 유익한 길이기 때문이다.

청소년 시기에 그 마음대로 행해보라는 말씀이 잠언에 있다. 그러나 그 댓가는 스스로 받아야 한다는 말씀도 성경에 있다.

청소년 시기를 절제와 경건과 올바른 훈련으로 보낸다면 그는 정금과 같은 사람이 될 것이다.

그렇지 못하면 그는 결국 쓰디쓴 맛을 보게 될 것이다.

이미 그 앞 대의 사람들이 이런 경험을 했음에도 불구하고 실수는 반복되어진다.

일부 악한 어른들의 유혹을 피하지 못하기 때문이다. 또 그 자신의 내부에서 솟구쳐 오르는 정욕을 통제할 능력이 없기 때문이다.

불로 뛰어든 나방은 죽게 마련이다.

요즘은 담배, 술, 본드를 넘어 마약까지 이들을 노리고 있다.

이들이 지켜지지 않으면 우리의 장래는 없다고 보는 것이 옳을 것이다.

40. 초등학교 수학 공부와 관련하여

어려서부터 즐거움으로 공부하는 게 좋다고 봅니다. 놀이와 병행한 수학 공부도 좋구요.

수에 익숙해지는 것도 좋구요..일상 생활에서 그렇게 할 수 있는 방법이 필요합니다.

만화 수학도 좋구요. 수학자들의 삶에 대한 전기 읽기, 또는 수학 공식이 만들어진 이야기에 대한 해설서 읽기도 좋구요.

익숙해지면 잘 하게 되고, 익숙해지면 좋아하게 됩니다.

제가 어렸을 때는 국민학교라 불렀고(지금은 초등학교) 산수라고 했어요..

1) 초등학교 1학년

저는 100까지 처음으로 세던 날을 기억해요..아마도 초등학교1학년 입학해서 그랬던 것으로 생각나요..

저녁에 집에서 1부터 계속 세어가다가 결국 100을 세고 얼마나 기뻤는지요..

2) 초등학교 2학년

초등학교 2학년 때는 구구단을 처음으로 외었어요..유치원을 다니지 않았고, 어릴 때는 그냥 노는 게 좋아서 선행할 이유도 없었어요..

형과 3살 차이였는데, 형이 공부하는 것에 별로 관심을 두지 않았어요. 그러니 형이 무얼 공부하는지도 모르고, 그저 재밌게 놀기만 했지요..

70년 3월, 전주 중앙 국민학교 2학년 교실 앞에서 구구단을 계속해서 외우다가 마침내 외웠던 기억이 나요..

서울에서 전학온 여학생이 있었는데, 똑똑했던 것으로 생각나요..

제 성적은 거의 양, 미, 우 정도였던 것 같아요. 그래도 별로 부담 느끼지 않고 재밌게 지냈어요.

교실 청소도 열심히 하구, 옆에 있는 여학생이 걸레도 만들어주고, 같이 청소 열심히 했어요..

3) 초등학교 3학년

 글자 예쁘게 쓰는데 정신을 다 쏟았어요.. 학교 안의 문방구 가게의 아들이 친구였는데, 그 친구 문방구에 가서 같이 숙제하면, 그 형님이 맛있는 거 많이 줬어요..그리고 글씨 잘 쓴다고 칭찬받고요..

 그 칭찬 때문에 공부 성적에는 별 관심도 없고, 숙제 예쁘게 해가는 데만 정신을 쏟았어요..

 여전히 미, 우 정도.

 이 즈음해서 집에서 여러 문학 전집과 위인전들을 사주셨어요..재밌게 읽었어요

4) 초등학교 4학년

 숙제를 무지 많이 내주었어요..그 때부터 숙제가 재미가 없어졌어요. 교과서 몇 번 베껴오기, 문제 몇 번 반복해서 풀어오기...숙제에 짓눌렸어요..

 이 때부터 운동이 좋았는데, 축구하고 놀다가 집에 오면, 곤해서 잠들고, 그래서 다음 날 숙제 못하고 학교 가서 맞고..

 그러다가 요령을 내서 찢어붙이기도 하다가,,점점 더 숙제는 재미 없어지고..

 시험 보고 나면 혼나고, 등수를 정확히 매기고,,그러나 여전히 우리 집에서는 공부 잘 하는 것에 대해 말씀은 없으셨어요..

위인전과 문학 전집 보는 데 푹 빠졌어요..방학 때는 온통 이런 책만 읽고 있었지요..

2학기가 되어선 성적을 올리기 위해 노력했어요..시험을 잘 보려구요..안 그러면 혼나니까..그리고 경쟁심이 생기기 시작했어요.. 지금 기억으로 그 때 반 성적이 13등이었어요..

수학은 원리를 이해하기보다 반복 학습이었어요..이런 어린 시절에 수학을 재미있게 배우게 하는 것이 얼마나 중요했을까요..

5) 초등학교 5학년

새로운 개념의 문제들을 접하기 시작했던 것으로 기억되요. 좀더 어려워지고..

성적에 대한 집착이 많아졌어요. 그러다가 암기 과목에서 컨닝 한 적도 있어요..자주는 아닌데,,정말 모를 때 책을 찾아보았지요...그러다 교생 선생님 한테 걸렸어요..

서로 눈이 마주쳤지요..책을 다시 서랍으로 넣어놓고, 결심했어요..남자로서 너무 창피하다고 생각했어요..남자답지 못한 행동이다..

그리고 다시는 컨닝 하지 않기로 작정했지요..그 후로 정확히 암기하려고 더욱 노력했어요..시험 때 생각이 안나서 고통스런 일이 없도록...

그랬더니 그 후로 성적이 더 많이 올랐어요..회개에 하나님

께서 응답하신 것이라고 봐요^^

6) 초등학교 6학년

담임 선생님이 차분 차분 가르쳐주셔서 좋았어요. 숙제도 그렇게 많지 않았구요..

쉬는 시간이고, 방과 후고 축구하느라 정신이 없었어요..

그래도 수업 시간에는 졸지 않고 집중해서 수업을 들었어요..운동을 많이 한 것이 이런 집중력을 주었다고 봐요..

또 반에 좋은 친구들이 많이 있어서 서로 지적인 자극을 주었어요..서로 문제 내서 맞추기도 하고, 고전 읽기 많이 하는 친구가 부럽기도 했어요. 이 친구들 중에 서울대에 여섯 명이 갈 정도였어요.

그러다가 결국 일제 고사를 만점 맞아 전교 1등도 해보았어요..

이 친구들 중에 수학을 잘 하는 아이들의 특징은 주산, 암산을 배운 아이들이었어요..저는 배우지 않았는데, 그걸 배웠다면 더 나았을 거라는 생각도 들어요..

그리고 어머니가 사주신, 수학 백과 사전을 읽었는데 재미있었어요.

수학 관련한 이야기 책들, 수학자의 삶에 관한 책들이 수학 공부에 도움이 된다고 봐요..수학의 원리를 만화로 풀어놓은 책 등, 재미 있는 수학이 필요하다고 봐요.

바둑 공부도 수학에 도움이 된다고 봐요. 체스도.

수학은 재미있게 공부해야 하고 스트레스 받지 말고 꾸준히 하는 게 중요하다고 봐요..

게임으로 수학을 배우는 것도 좋은 방법이구요..수수께끼 푸는 식도 좋구요..

수학은 하나님의 지혜가 담긴 학문이라고 생각해요..수학적 원리를 통해 이 세계를 창조하신 것이니까요

41. 소피아가 실패했을 때

 인생은 실패의 연속이다. 누가 내일 일을 알겠는가! 실패했을 때 다시 일어나서 그 상황에 맞게 다시 도전하는 것이 필요하다.

 삼손은 들릴라로 인해서 실패한 인생이 되었다. 그는 눈까지 다 뽑혔다. 그러나 그는 다시 일어났다. 마지막 힘을 내서 다시 자신의 사명을 감당했다.

 아담도 하와로 인해서 실패하셨다. 하지만 아담은 다시 셋을 낳으셨다. 그 셋을 통해서 뒤에 가서 노아도 태어나고 예수님 족보까지 이어진다. 그런 점에서 아담은 실패한 것이 아니시다.

 아담과 하와의 두 아들 가인과 아벨은 한 쪽이 한 쪽을 죽이는 비극적인 일이 일어났다. 이로 인해 아담과 하와는 크게 낙담하셨을 것이다. 자신들이 선악과를 먹은 죄로 인하여 이렇게 한 자식이 다른 착한 아들을 죽이는 일이 벌어졌으니 얼마나 낙담하셨겠는가!

 그러나 아담은 다시 기도드렸을 것이다. 그리고 셋을 얻으셨고 이 후손을 통해 다윗도 나오고 예수님도 태어나셨다. 그리고 이 세계는 다시 구원을 받았다.

 다윗도 밧세바의 일로 거의 무너졌지만 다시 일어나셨다. 하나님의 징계를 달게 받으셨다. 자신의 아들 압살롬이 자신을 죽이려 하고 자신의 첩들까지 강간해버렸다. 한 아들이 자신의 딸을 강간했다. 그 아들을 다른 아들이 죽였다. 이런 끝없는 불행 속에서도 다윗은 하나님 앞에 나아가는 것을 멈추지 않았고 회개하셨고 다시 남은 힘으로 충성되게 갈 길을 찾으셨다.

소피아도 이렇게 살면 된다.

42. 소피아의 학문 연구

사람은 기본적으로 학자다. 하나님께서 만물의 영장으로 만드셨기에 학문 연구의 기본적 소양이 모든 아이들에게 있다. 따라서 이 능력을 잘 계발해주는 것이 어른들의 몫이고 부모의 몫이다.

43. 인생 채찍과 사람 막대기

이럴 땐 어떻게 해야 하나요?라고 한 어린이가 물어본 적이 있습니다.

"안녕하세요.

저는 초등학교 3학년 여자 어린이에요.

저의 사연을 말씀드리겠는데요.

우리 조에 어떤 여자 아이가 있어요. 그 친구는 친할 때는 나랑 많이 가까와요. 그리고 재미있게 지내지요.

하지만 그 친구가 어떻게 잘못되면 먼저 시비를 걸어요. 그러면서 욕도 할 때도 있어요. 막 내 손을 긁을 때도 있어요.

그러면 참다가 저도 그 친구 손을 긁어요. 그 친구 속에 갑자기 악마가 찾아와서 그런 못된 짓을 하게 만드는 것 같아서 기도도 해주고 있어요.

저는 그 아이랑 싸우고 싶지 않은데 계속 싸우게 되요. 그리고 더 슬픈 일은 우리 조 친구들이 막 나를 왕따시키는 것 같이 그 아이 편만 들어요.

그 친구랑 같은 교회에 다니는데 교회에서는 그런 일이 없어요. 교회에서는 아주 착해요.

그래 놓고 학교에서는 또 그럴 때가 있어요.

이럴 때는 어떻게 하는 것이 좋을까요?

공의당 어른들이 이 사연에 대한 답장을 꼭 적어주세요."

이에 대한 답을 저는 '인생 채찍과 사람 막대기'라는 제목의 다음 글로 답하였습니다.

"콩쥐는 팥쥐 때문에 힘들었고, 신데렐라도 그런 일이 있지요.

어려서부터 인생에는 고난이 있나봐요. 내가 잘 하고 있어도 고난이 있을 수도 있고, 내가 잘못해서 고통이 오는 수도 있다고 봐요.

그래서 그 문제의 원인에 대해 잘 생각해보아야 해요.

내가 잘 하고 있는데 생긴 문제인지, 아니면 내가 잘못해서 생긴 문제인지.

전자의 경우라면 묵묵히 기도하고, 그 친구에게 더 잘 대해주고, 때론 그 친구에게 그러지 말도록 얘기해주어야 하겠지요.

몇 번 얘기해도 잘 듣지 않으면 절교하는 것도 어떨까 싶네요.

후자의 경우라면 내 행동을 고쳐야 하겠지요. 그 친구에게 마음 상하게 하는 행동을 내가 하고 있는지 살펴보고 그런 행동들이 있다면 반성하고, 사과하고 고쳐야 하겠지요.

우리 친구도 교회에 다니니까 더 성경도 많이 읽고, 기도도 하며, 하나님께 지혜를 주시라고 기도드리면 하나님이 도와주실거예요.

우리는 다 부족한 점들이 많아서 인간 관계 속에서 그 모난 것들을 고쳐간다고 생각이 돼요.

그래서 하나님께서는 인생 채찍과 사람 막대기라는 말씀을 하셨지요.

우리를 이런 과정 속에서 다듬어주시고 온전한 사람들로 키워주시는 것이지요.

고난은 우리를 슬프게 하지만 그것을 지혜롭게 이겨내면 우리는 보다 아름다운 사람들로 성장할 거예요.

글을 쓴 어린이 힘내세요.

또 다른 어른들께서도 지혜로운 권면을 해주세요. 제가 빼먹은 얘기든지, 아니면 제가 잘못 전해주었다면요."

요셉도 어려서 혐들로부터 왕따를 당하고 힘들었고 결국엔 형들이 죽이려다가 이집트로 팔아버렸습니다. 예수님도 이 땅에 오셔서 왕따 당하시고 결국 십자가에서 돌아가셨습니다.

사람들이 나에게 하는 행동이 꼭 하나님의 마음에 합한 것은 아닙니다. 아벨을 하나님께서는 사랑하셨지만, 가인은 그를 죽였습니다. 하나님께서 보내신 선지자들을 세상의 종교 권력자들이 죽였습니다.

나를 힘들게 하는 사람들이 훌륭한 사람들이라면 그 힘들게 함을 달게 받아야 합니다. 그러나 나를 힘들게 하는 사람들이 악한 사람들이라면 우리는 오히려 기뻐해야 합니다.

44. 친구 사귀기와 가까이 하지 말아야 할 자

묵자의 所染篇 (소염편)에 보면 사람은 옷감과 같아서 어느 것에 물들이느냐에 따라 달라진다는 말씀이 있습니다 .

임금이 어질고 좋은 신하를 가까이 두면 요나 순임금처럼 聖王이 되지만 간사하고 탐욕적인 신하를 가까이 두면 걸이나 주와 같은 폭군이 된다 하였습니다 .

친구도 이와 같아서 세상을 염려하고 이타적인 친구를 가까이 하면 나도 그렇게 되어 세상에 도움을 주는 사람이 될 수 있지만 이기적인 친구들이나 사치를 좋아하는 친구 , 뽐내기를 좋아하는 친구를 가까이 두면 나도 그렇게 되어 세상을 어지럽히는 사람이 되는 것입니다 .

친구 사귀기는 어릴 때부터 잘 해야 하며 평생 그렇게 해야 합니다 .

다윗은 요나단과 마음이 연락한 친구가 되었습니다. 나이 차이가 있었지만 진정 서로 존중하고 하나님 앞에서 서로가 잘 되길 바랬습니다. 요나단은 자신이 자기 아버지 사울을 이어서 왕이 될 위치였지만, 다윗에게 하나님께서 기름부으심을 알고 이를 기뻐했고, 그가 왕에 오르길 진심으로 바랐고, 자기 아버지 사울이 다윗을 죽이려 하자 번번히 그를 위기에서 구해주고, 아버지 사울에게 그것이 부당함을 말함으로써 자신도 죽을 위기가 왔습니다.

그러나 요나단은 자기 아버지 사울도 버리지 않고, 전장터에서 아버지 옆에서 죽었습니다.

사귀지 말아야 할 대상이 여럿 있는데 잠언 22장 24절에 이런 사람이 나옵니다. 바로 노를 품는 자입니다.

24 노를 품는 자와 사귀지 말며 울분한 자와 동행하지 말지니
25 그의 행위를 본받아 네 영혼을 올무에 빠뜨릴까 두려움이니라(개역개정)

나도 중고등학교 시절, 같은 교회에 다니던 아이인데 장수철이라고 합니다. 아 아이는 7급 공무원 시험을 봐서 지금 산업자원부 고위공직자까지 올랐는데, 이런 자를 사귀게 되면 위험합니다.

이 아이는 자기 어머니에 대해서 아주 노를 품고 있었는데, 이를 결국 다른 여성에게 돌리게 됩니다. 대학에 들어가서 이 자가 짝사랑하던 한 여대생을 납치해서 강간하겠다고 해서 그러면 가만두지 않겠다고 했더니 갑자기 나의 배를 주먹으로 쳐서 한참동안 숨을 쉬지 못할 정도였습니다.

이 일을 한번도 사과하지 않았습니다.

이런 악한 자를 옆에 두면 결국 이런 일이 벌어집니다. 지금은 잘 나가고 있는 듯하지만 하나님께서 결국 이 자를 치실 것입니다. 산업자원부 불공정무역조사과장으로 있어서 깜짝 놀랐습니다. 불의한 자가 불공정무역을 조사하는 업무를 총괄하다니. 그러나 높이 올라갈수록 그 악이 드러나게 됩니다.

학교 폭력이 문제가 되고 있는데, 이것이 아주 구조적으로 이뤄지고 있어서 또 그 악행의 뿌리가 깊어서 근본적으로 대처해야 할 필요성이 커지고 있습니다.

성경에선 동네에 패역한 자녀를 둔 부모는 그것을 동네에 알리고 동네 사람들이 돌로 쳐죽이라고 하셨습니다.

패역한 아들에게 내리는 벌

18 사람에게 완악하고 패역한 아들이 있어 그의 아버지의 말이나 그 어머니의 말을 순종하지 아니하고 부모가 징계하여도 순종하지 아니하거든

19 그의 부모가 그를 끌고 성문에 이르러 그 성읍 장로들에게 나아가서

20 그 성읍 장로들에게 말하기를 우리의 이 자식은 완악하고 패역하여 우리 말을 듣지 아니하고 방탕하며 술에 잠긴 자라 하면

21 그 성읍의 모든 사람들이 그를 돌로 쳐죽일지니 이같이 네가 너희 중에서 악을 제하라 그리하면 온 이스라엘이 듣고 두려워하리라

45. 운동과 영양 섭취

일생에 있어 자신이 해내고 싶은 일을 제대로 하기 위해서 필요한 것이 건강입니다.

이를 위해서는 어릴 적부터 열심히 운동을 하고 몸에 필요한 영양을 골고루 섭취하는 것이 필요합니다.

세상의 어떤 것도 그냥 놓아두어서 잘되는 것은 없습니다.

살펴보고 관리해야 하는 것입니다.

46. 부지런하되 조급하지 않게

인생은 어떻게 보면 짧고 어떻게 보면 깁니다.

또 어떤 목표를 달성하기에는 짧아보이기도 하고 길어보이기도 합니다.

저는 제 일생을 살아오면서 조급했던 적이 많습니다.

그 결과는 대체로 실패였습니다.

평소의 삶은 목표를 향하여 부지런하게 움직이지도 못하면서 해야 할 일들에 대해서는 조급한 마음을 가지고 임해서 무리한 수를 두다가 실패를 합니다.

그래서 지금의 생각은 부지런하게 살되 조급하지 않아야 하겠다는 것입니다.

세월을 아껴야 합니다. 인생은 결코 긴 세월이 아닙니다.

세월을 아껴서 좋은 일들에 시간을 보내야 합니다.

어려서 보내는 한 시간은 어른이 되어서의 몇 개월과 같을 수 있습니다.

좋은 책들을 읽고, 좋은 사람들을 만나고, 착한 일들을 하고, 지식을 더하고 좋은 생각들을 한다면 어떤 일을 인생을 통해 만나게 된다 하더라도 평안하게 그 일들을 해결하며 나아갈 수 있을 것입니다.

47. 방향을 잘 잡는 것이 중요하다.

먼 길을 갈 때는 방향을 잘 잡아야 합니다.

부지런하게 움직이는 것도 중요하지만 방향을 잘못 잡고 움직인다면 이는 오히려 가만히 움직이지 않고 있었던 것만도 못한 결과를 줍니다.

제가 어느 때 어느 곳에 찾아가고 있었습니다. 사람들에게 길을 물어보았습니다.

어떤 사람이 길을 알려주었는데 거기로 가보았습니다. 그러나 아니었습니다. 오히려 더 먼곳으로 와있었습니다.

인생도 그러하다고 봅니다.

내가 가려고 하는 목표를 먼저 설정한 후에는 그 목표에 도달하기 위한 방향을 잡아야 하며 그리고 거기에 따라 부지런히 움직여야 합니다.

물론 움직이면서도 제대로 가고 있는지 살펴보아야 할 것입니다.

제대로 방향을 잡고 움직이는 절름발이 달팽이가 6필의 천리마가 이끄나 방향을 못잡고 우왕좌왕하는 마차보다 낫습니다.

48. 애가 애를 낳는다

많은 남녀가 만나서 사랑을 하고 결혼을 했지만 아이를 어떻게 낳고, 어떻게 키울 것인지에 대한 교육받음없이 본능적으로 낳아서, 본능적으로 키우는 경우가 많다.

그리고 그 아이들은 부모의 사랑을 받고 자라지만 아울러 상처도 받고 자란다. 그 달란트가 부모에 의해 개발되어지기보다는 억제되고, 왜곡되고, 사장되어지기도 한다.

아이들은 문제아로 커간다.

대부분의 부모들이 그렇게 컸듯이.

소피아는 이런 교육까지 염두에 두고서 훈련 받아야 한다.

성경은 온전한 남자, 여자로 양육하기에 가장 좋은 말씀이다.

성경에서 모든 것을 얘기하고 있지는 않습니다.

그러나 모든 것을 향해 온전하게 나아갈 기초를 제공하고 있는 것은 분명합니다.

많은 부모님들이 자신의 자녀들이 올바로 자라기를 원하며, 똑똑하길 원하며, 남보다 뛰어나길 원합니다.

그러나 어떤 소원도 제대로 되지 못했다면 이룰 수 없고, 또 어떤 경우에는 오히려 그 소원으로 인한 해악이 클 경우가 많습니다. 작게는 그 본인, 가족, 크게는 나라와 세계 가운데 그렇습니다.

따라서 부모가 욕심을 버리고 자신의 자녀를 하나님의 뜻에 맞게 성장시키려 한다면 그 아이는 기대 이상으로 온전하게 자라주어 스스로에게는 물론, 부모와 그 이웃과 온 세계에 기여하는 것이 많은 사랑스런 사람이 될 것입니다.

성경에는 참으로 많은 그리고 다양한 말씀이 있습니다.

이 말씀들을 따라 어려서부터 자녀와 같이 공부해가고 실천해간다면 이 아이는 정금같은 사람이 될 것입니다.

여호와를 경외하는 것이 지혜의 근본입니다.

따라서 이런 아이는 가장 지혜로운 사람이 되어 인생의 모든 파고를 극복할 수 있게 될 것이며, 많은 사람에게 유익을 끼치는 복된 사람이 될 것입니다.

높은 건물을 지으려면 기초가 튼튼해야 합니다.

성경은 그 기초가 되어줄 것입니다.

49. 하나님 앞에서 자녀 교육

건물을 제대로 지으려면 설계가 필요한데 이 설계에는 여러 요소가 들어가게 됩니다.

그 건물이 서야 할 땅의 성질도 반영됩니다. 아무리 잘 지었어도 그 땅을 이해하지 못하면 무너질 수 밖에 없습니다.

또 그 지역의 공기, 바람의 세기 등도 고려되어야 합니다. 특히 높은 건물을 지으려면 그렇습니다.

내가 낳은 자녀이지만 이 아이들을 잘 기르려면 먼저 이런 관찰이 필요한 것입니다.

그 아이가 살아가야 할 땅에 대한 이해, 그 근본에 대한 관찰이 필요한 것입니다.

그 근본은 하나님이십니다.

만물의 조성자이시고, 만물을 지금도 주재하고 계시는 하나님을 이해하지 못하고서 자녀의 교육을 생각한다는 것은 어리석은 일인 것입니다.

그래서 먼저 하나님을 알고, 하나님이 아이에게 무엇을 원하시는 것인가를 이해하고 거기에 맞춰 양육해야 할 것입니다.

하나님이 아이에게 주신 달란트들을 살펴보고 그 달란트들을 키워줘야 합니다.

내가 아이에게 바라는 것을 시키는 것이 아니라 아이의 천부적 재능을 찾아내어 키워주는 것이 부모의 도리일 것입니다.

그렇게 한다면 이 아이는 하나님과 사람들 앞에서 잘 자라날 것입니다.

그리고 많은 유익을 세계에 끼칠 것입니다.

인간은 만물을 다스리는 권능을 가지고 있습니다. 하나님께서 주신 것입니다. 아담의 타락 이후 이 중 많은 것을 잃었지만 아직도 가진 것이 많습니다.

그런 점에서 우리의 아이들을 거기에 걸맞게 키워야 합니다.

소시민으로 키우는 것은 죄악입니다.

만물의 영장으로 키워야 합니다.

우주의 광대함을 품으면서도 미세한 것도 아는 그런 아이들로 키워야 할 것입니다.

아이들의 교육에 있어 돈과 명예가 가장 중요한 요소가 된다면 이는 잠깐은 성공을 거둘 수 있지만 결과적으로는 실패한 인생을 만드는 지름길입니다.

하나님을 경외하고 만물을 사랑하며 하나님을 위해, 만물을 위해 봉사하는 아이들로 키워갈 때 이들은 위대한 인물들이 될 수 있습니다.

위대한 과학자, 정치가, 사업가, 선생님, 주부가 될 수 있습니다.

50. 공존 중심의 교육의 효과

지금 이 세계는 온통 경쟁만을 얘기하고 있습니다.

"내가 살아남기 위해서는 경쟁에서 승리해야 한다."

그래서 교육에서도 입으로는 공존을 얘기하지만 실제는 '나홀로 승리'를 가르치고 있습니다.

그러나 이런 사람들은 양육해가는 사회는 결국 내재적 붕괴를 촉발하는 인물들을 양산하는 결과를 빚어낼 것입니다.

이제 우리에게 필요한 것은 인류 공존을 위해 필요한 것이 무엇인지를 알아보는 교육이며 이를 위한 내 능력이 무엇인지를 찾는 교육이며, 그 능력으로 내가 해낼 수 있는 역할이 무엇인지를 깨닫게 하는 교육이고, 그 일을 위해 전심 전력하게 만드는 교육입니다.

바로 위에서 얘기한 인류에의 기여를 목표로 삼는 교육입니다.

자연과의 공존, 다른 사람들과의 공존을 위한 노동, 이는 소외를 극복하는 노동이 될 것입니다.

아담의 타락 전에 아담에게 주셨던 학습과 노동의 원칙이 이것일 것입니다. 그리고 그 아담에게 가장 중요했던 것은 선악과를 먹지 않는 학습이었습니다.

이는 그 창조주에 대한 학습이었습니다.

다른 학습에서 성공해도 이 학습에서 실패하면 모든 것의 기초가 허물어집니다. 아담은 이 점에서 실패했습니다.

이제 우리의 교육은 아담의 실패를 타산지석으로 삼아야 합니다. 공존 중심의 교육의 핵심에는 하나님이 계십니다.

지금의 교육은 만물에 대한 이해를 시켜 주려고 노력하고 있는데 이는 결국 만물의 조성자에 대한 이해없인 불가능합니다.

격물치지는 바로 하나님을 아는 것에서 출발할 수밖에 없습니다.

동양의 우리 선조들은 조물주에 대한 탐구가 있었습니다.

주역, 논어 등에서도 잘 나타납니다.

이들은 언제나 하늘을 두려워했습니다.

그러나 지금 우리의 교육에는 하늘이 빠져 있습니다.

기독교 세계라고 하는 서양의 교육이 들어왔음에도 불구하고 거기엔 동양 교육에서 중요한 역할을 했던 하늘에 대한 교육은 빠져 있습니다.

서양의 진화론이 동양의 창조론을 무너뜨린 것입니다.

지금 우리 교육의 핵심적 문제는 여기에서부터 출발하고 있습니다.

하늘을 두려워하지 않는 인간들은 언제나 문제를 일으킬 수밖에 없습니다.

루소는 종교가 없는 사람은 위험하다고 얘기했습니다.

공존 중심의 교육이 하나님을 찾는 데서 시작해야 하는 이유가 여기에 있습니다. 그 기초가 든든할 때 인간과 자연과의 공존도 이뤄질 수 있을 것입니다.

51. 아담과 이브, 그리고 에밀과 소피아

아담과 이브가 그 역할을 서로 잘 했다면 이 세상은 지금처럼 되지 않았을 것입니다.

지금 세상의 많은 문제도 아담과 이브 사이에서 생겨나고 있습니다.

우리는 온전한 아담과 이브로 변해가기 원합니다.

이브에게 온전한 아담, 아담에게 온전한 이브가 되는 것은 쉬운 일이 아니라고 봅니다.

하나님을 의지하고 둘이서 서로 노력할 때 그렇게 될 수 있을 것입니다.

이 책에서는 바로 우리가 그렇게 되기 위한 지혜를 나눌 것입니다.

아담과 이브의 문제는 정치의 근간이 될 것입니다. 그들에게서 난 후손들이 민족과 국가를 이루었습니다.

서로가 서로를 이해하고, 같이 동역할 수 있는 지혜를 터득한다면 지금 세상에 있는 많은 문제들의 근원이 해결되어 우리의 정치를 원활하게 만들어줄 것입니다.

하나님께서는 아담과 하와를 별개로 만들지 않으신 이유가 무엇일까요! 즉 아담과 하와를 처음부터 따로 창조하지 않으시고 아담을 만드신 후 아담의 몸에서 뽑으신 이유가 무엇일까요!

인류의 조상이 두 명이 아니라 오직 한 명, 즉 아담 한 분으로 만드시고자 이렇게 하셨다고 봅니다.

처음엔 사람을 만드시고, 그리고 그 사람에게서 남성과 여성으로 나뉘었다고 봅니다.

아담의 몸에서 하와가 갈비뼈로 분리되어 창조된 이후 아담은 남자가 되었고 하와는 여자로 나온 것입니다.

이는 다시 우리가 죽은 후 부활할 때 남자 여자로 부활하는 것이 아니라 사람으로 부활하는 것과 연관이 있다고 봅니다. 예수님은 사두개인들이 한 여자와 결혼한 여러 형제 이야기로 곤란에 빠트리려할 때 이렇게 답하셨습니다. 천국에는 시집가고 장가가는 것이 없다 하셨습니다.

남자 여자로 살아가는 곳이 아니라 사람으로 살아가는 곳이 천국입니다. 다시 하와가 있기 전의 아담으로 돌아간 상태가 됩니다. 남자 여자는 이 세상에서의 일일 뿐입니다.

그러니 우리도 그 세상, 부활 이후의 세상을 준비해야 합니다. 에밀과 소피아는 결국 하와가 생기기 전의 아담과 같은 상태가 될 것입니다. 더 중요한 것은 성령 충만한 상태입니다.

아담이 먼저 선악과를 먹은 것이 아니라 하와가 선악과를 먹고 아담에게도 주었습니다. 왜 사탄은 먼저 하와를 유혹했을까요! 아담을 먼저 직접 유혹했다면 사탄은 성공하지 못했으리라고 판단했다고 봅니다.

아담은 사탄의 유혹의 말은 듣지 않지만, 하와의 잘못된 유혹은 들을 가능성이 높았습니다. 그런데 하와는 사탄의 유혹에 빠집니다.

여성의 허영이나 분별력이 남성에게서보다 떨어진다고 볼 수 있을까요! 하와가 선악과를 먹은 이유가 있습니다. 하와가 보기에 선악과는 보암직도 하고 먹음직도 하고 지혜롭게 할 만큼 탐스러웠습니다.

오늘날도 여성의 성향이 남성보다 더욱더 이런 데 빠지기 쉬운 것일까요! 그래서 마케팅에서도 여성을 먼저 공략하는 것이 남성을 공략하는 것보다 쉬울 수 있습니다. 여성을 공략하면 그 여성이 남성을 공략하게 되어 소기의 목적을 달성할 수 있습니다.

소피아는 이런 하와의 성향이 아니라, 마리아, 사라, 에스더의 성향을 따라야 합니다.

그런데 마리아 사라 에스더는 어떻게 하와와 다른 성향을 가지게 되었을까요? 은총을 입은 여인들이었다고 봅니다. 그러면 하와는 은총을 입지 못한 어떤 이유가 있었을까요?

52. 남자와 여자의 만나기

많은 불행의 기초가 남녀 관계에서 생겨난다. 이 남녀관계에 영향을 미치는 요소 중에 요즘은 생산의 3 요소가 있다. 부모로부터 자산을 물려받지 못한 경우 결혼도 힘들어진다.

그런데 이런 상황 속에서도 남녀의 짝짓기는 계속 된다.

대학에 들어가기 위해 몇 년씩 공부를 한다.

또 어떤 직업을 갖기 위해 직업 교육을 받는다.

이 모두다 거기에 적합한 능력을 얻기 위해서다.

그러나 이성을 만나기 위해 준비하는 것은 본능에 의존하는 경우가 많은 것 같다. 몸이 자랐으니 당연히 사귀고 결혼을 하는 것으로 안다.

왜 결혼해야 하는지에 대해서도 분명치 않다. 육체적 이유가 가장 크다.

또 결혼 준비라고 해보았자 혼수 준비, 살 집 준비, 결혼식 준비 등에 초점이 맞추어진다.

이렇게 결혼을 하고 3쌍에 한 쌍은 이혼을 한다.

53. 모르타르가 있어야

우리는 벽돌입니다.

벽돌 자체내에는 접착 성분이 없습니다. 벽돌끼리 최대한 가까이 붙어볼 수 있습니다.

그렇게 사랑을 나눌 수 있습니다.

그러나 바람이 불면 그 벽돌들은 흩어져버립니다.

이것이 바로 세상의 사랑입니다.

주님은 모르타르이십니다. 벽돌과 벽돌 사이에서 접착제 역할을 해주는 모르타르이십니다.

벽돌은 벽돌을 만나기 전에 모르타르를 만나야 합니다. 모든 벽돌이 그렇습니다.

그럴 때 그 벽돌들은 가까우면서도 어떤 고난도 이겨내고 끝까지 서로 붙어 있을 수 있습니다.

54. 사랑은 하나님의 선물

이 세상에는 남녀간의 사랑도 있고, 예수님의 인류에 대한 사랑도 있습니다. 그러나 이 모든 사랑에는 유사성이 있고 모두다 하나님의 선물이라 생각합니다.

모든 피조물이 하나님에 의해 창조되었습니다.

그러나 그 피조물들이 모두 똑같이 하나님의 뜻대로 움직여지는 것은 아니며 하나님의 뜻에 가까운 것도 아닙니다.

하지만 여전히 모든 피조물에는 하나님의 속성이 배여 있습니다. 하나님의 창조물이기 때문입니다.

사랑도 마찬가지입니다. 남녀간의 사랑에도 그러한 요소가 있습니다.

하지만 피조물의 하나님께 대한 가까움의 등급이 다르듯이 사랑도 등급이 있다고 봅니다.

하나님의 뜻에 가까운 사랑일수록 보다 온전한 사랑이라 할 수 있을 것입니다.

마치 하나님이 창조하신 같은 인간이라 할지라도 천차 만별이어서, 하나님의 뜻에 가까운 사람일수록 온전한 사람이듯이요.

55. 온전한 사랑은 성령 충만할 때 가능

남녀 간의 열정이 충만할 때 온전한 사랑이 이루어지는 것이 아니라 어떤 사랑에도 성령이 충만할 때 온전한 사랑이 이루어진다고 봅니다.

내 몸을 불사르게 내어줄지라도 사랑이 없으면 소용이 없다는 말씀은 바로 이러한 성령 충만함이 없는 사랑을 이야기한다고 봅니다.

하나님은 사랑이십니다.

하나님의 영이 우리 가운데 충만하여질 때 온전한 사랑을 우리도 주고 받을 수 있는 것이라고 봅니다.

우리는 예수님의 십자가 사역을 통해, 또는 그 일생을 통해 사랑이 어떠한 것인지를 볼 수 있었습니다.

그런데 그 사랑의 능력은 우리 스스로에게서 만들어지지 못함을 알 수 있습니다. 베드로의 예수님 부인에서 잘 드러납니다.

그러나 베드로가 성령으로 거듭나고 성령 충만한 사람이 되었을 때 보여주는 행동에서 그가 사랑의 사람이 되었음을 알 수 있습니다.

스데반 집사가 돌을 맞아 죽어가면서 보인 행동에서 우리는 진정한 성령 충만한 사랑을 볼 수 있습니다.

그래서 우리는 하나님 안에서 기도로 말씀으로 성령 충만해 있어야 합니다.

56. 현숙한 아내를 얻는 것은 하나님의 선물

재산은 부모로부터 상속받지만 현숙한 여인은 하나님께로부터 받는 선물이라는 말씀이 있습니다. 손이 올무와 같은 여인을 만나는 것은 하나님께 징계를 받아서 생기는 일입니다.

많은 사람들이 남녀간의 사랑으로 애타고, 사랑을 나누다가 고통을 겪고 있습니다.

미혼 남녀들이 사귀다가 헤어지기를 수없이 반복하고, 결혼해서도 이혼합니다. 또 이혼하고 다른 사람을 만나서도 후회합니다.

이혼한 것마저도 후회하는 사람이 남자 80%, 여자 65%라는 조사도 최근에 결혼 정보연구소에서 발표되었습니다.

어떻게 남녀 간에 온전한 사랑을 할 수 있을까요?

어떻게 현숙한 여인을 얻고, 어떻게 훌륭한 남자를 만날 수 있을까요?

하나님께 복을 받아야 한다는 것입니다.

그러기 위해서는 선을 행해야 합니다. 내 인생을 나를 위해 살지 않고 주님을 위해서 살고 그의 나라와 그의 의를 구하기 위해서 살고, 세상의 온전해짐을 위해서 살겠다는 각오와 실천이 있어야 그 일을 위한 동역자로서 현숙한 아내, 훌륭한 남편을 만날 수 있는 것입니다.

그리고 그 관계가 영구히 지속될 수 있는 것입니다.

57. 어떤 여인이 가장 아름다울까요

세상의 여인들은 자신을 아름답게 보이기 위하여 갖은 노력을 다합니다. 화장, 성형 수술, 명품으로 치장하기, 향수...

그런데 왜 성경에서는 아름다운 것도 헛되고, 고운 것도 헛되나 오직 여호와를 경외하는 여인이 가장 뛰어나다고 하셨을까요?

만물은 방향성이 중요합니다.

건축물은 설계가 중요합니다.

인생에서도 마찬가지입니다.

한 여인이 자신의 인생의 방향성을 제대로 잡고 있을 때 그녀는 가장 온전한 여인이 될 수 있습니다.

마치 대리석에서 그 원형을 찾아내어 조각해주는 것과 같습니다.

그 원형은 따로 있는데 인위적으로 대리석을 깨어부순다면 진정한 예술품은 만들어질 수 없습니다.

그 원형은 하나님 안에서만 찾아질 수 있습니다. 그 여인의 창조주이시기 때문입니다.

그래서 하나님을 경외하며 하나님의 음성에 민감하며 자신의 일생을 하나님의 뜻에 맞게 살려는 여인일 때 가장 뛰어난 아름다움을 그 일생을 통해 만들어낼 수 있게 되는 것입니다.

하나님은 예술가이시며, 미를 아시며 미를 창조하시는 분이십니다.

만물을 지으시며 보시기에 좋았더라를 반복하고 있는 성경 말씀에서 잘 드러납니다.

그래서 그 분의 뜻에 맞게 살 때 가장 아름다운 인생이 되어질 수 있는 것이며 그러한 인생 옆에 있는 사람도 진정한 행복에 동참할 수 있는 것입니다.

그래서 남자는 이런 여인을 알아볼줄 알아야 사랑에서 실패하지 않게 되는 것입니다.

그러나 많은 남자는 피부와 외모에서 미인을 찾기에 실패하게 되는 것입니다.

58. 어떤 남자가 훌륭한 남편감일까요

하나님의 말씀에 충실해야 합니다. 말씀을 온전하게 깨닫고 있어야 합니다. 그러나 누가 완전할 수 있겠습니까?

그래서 기본적 진리를 깨닫고 있어야 하고, 그 확신 위에서 실천이 있는 사람이면 됩니다.

이는 인생의 기초가 충실하다는 이야기가 됩니다.

그러면 여성들이 남성에게 바라는 모든 것들은 보통 그 남성에게서 발견되어질 것입니다.

솔로몬은 재물을 먼저 구하지 않고, 자신의 사명에 맞게 지혜를 먼저 구했다가 나머지 것을 다 받았습니다.

여성도 이래야 합니다.

나를 편하게 해줄 남자를 구하면 다른 것을 받을 가능성이 적습니다.

오히려 내가 도와서 하나님의 뜻을 이 땅에서 함께 실천할 남자를 구하면 다른 모든 것을 하나님께서 공급해주실 것입니다.

59. 어진 여인은 그 지아비의 면류관이나 욕을 끼치는 여인은

잠언 12장 4절에 보면 '어진 여인은 그 지아비의 면류관이나 욕을 끼치는 여인은 그 지아비로 뼈가 썩음 같게 하느니라'는 말씀이 있다.

여기서 '어진 여인'이란 히브리어의 문자적 의미로는 '강한 여인'을 뜻한다고 한다.

그러면 강한 여인이란 어떤 사람일까?

아마도 온유할 것이며 어떤 위기 상황에도 굴하지 않으며 안정되고 진취적이며 지혜로운 여인을 강하다고 할 수 있을 것이다. 특히 이 여인은 하나님을 경외하며 하나님의 동역자가 되어 하나님의 나라를 건설해갈 것이다. 이 여인은 세상의 어려운 사람들에 대해 불쌍히 여길 것이며 사랑이 충만할 것이며 세상의 변화에 대한 플랜을 가지고 있으며 이를 실천해갈 것이다.

그래서 이 여인은 이 세상에서의 자신의 가장 가까운 동역자인 그 남편과 호흡을 맞추어 아름다운 사역을 해나감으로써 그 남편에게 면류관과 같은 존재가 되어주는 것이다.

60. 성(性)과 결혼

성은 하나님께서 허락하신 귀한 것입니다. 그런데 이 성과 관련하여 참으로 좋은 것도 많고, 나쁜 것도 많습니다. 그래서 이에 대해 잘 정리하고 대처하는 것이 필요합니다.

이 성이 정치와도 밀접한 관련이 있습니다. 성은 결혼과도 연관되고, 출산 문제, 그리고 성범죄와도 관련됩니다. 그래서 깊이 생각해보면 많은 시사점을 찾을 수 있을 것으로 보입니다.

1) 왜 성이 필요한가?

성이 없이는 출산이 불가하다. 하나님께서 만드신 요소다. 그래서 성욕이 존재한다. 아담과 이브를 만드신 이유는 독처함을 피하게 하려고 그러셨다. 둘이 같이 지냄으로써 행복하고 건전해진다.

2) 성욕

사랑과 출산을 위한 좋은 요소이다. 그러나 이것이 잘못되면 타락으로 이어진다. 결혼을 통해 이루어지는 성과 성욕은 좋은 열매를 맺지만 그렇지 못할 경우 문제가 된다.

식욕이 없다면 우리는 굶어죽게 된다. 성욕이 없다면 출산이 사라지게 된다.

식욕이 좋은 것이지만, 탐식하면 위에 병이 생기는 것처럼, 성욕도 그렇다. 좋은 음식은 몸을 건강하게 하지만 나쁜 음식, 술, 마약 등은 사람을 파괴한다. 성에도 나쁜 성이 있다.

성 자체가 나쁜 것이 아니라, 어떤 방식의 성인가에 따라 달라질 수 있다.

3) 성범죄

성매매를 합법화한 나라도 있고, 불법화한 나라도 있다. 이 차이는 뭘까? 왜 강간이 존재할까? 상대가 고통스러워 하는데, 자신의 성욕을 채우기 위해 상대를 괴롭히면서도 그렇게 하려고 할까?

그에 대한 대처는? 개인적인 교육과 훈련이 필요하고, 사회적으로는 이런 범죄가 발생하지 않도록 여건을 개선하고, 예방하는 구조적 노력이 필요하다. 성욕이 강한데 결혼하지 못하는 사람들이 없게 해야 한다. 경제적 뒷받침이 되지 않아 그런 사람들도 있다. 또 결혼과 성과 관련한 체계적 교육이 어려서부터 공교육을 통해 이뤄지도록 해야 한다.

식사는 하지 않으면 죽지만, 성은 하지 않아도 죽지는 않는다. 그러나 발정기의 동물처럼 그것이 충족되지 않을 때 포학해지는 사람들이 있을 것이다. 이런 사람들이 범죄로 나아가지 않도록 예방되어야 한다. 위에 든 것처럼, 이들이 결혼의 틀 안에서 성생활을 하도록 만들어주어야 한다.

4) 성매매, 성상품화, 포르노

다양한 의견이 존재한다. 하수구로서 이런 것이 필요하다고 하는 사람들도 있고, 더 적극적으로 이것을 막아야 한다고 하는 측도 있다.

성욕이 존재함으로써 이런 문제가 생기게 된다. 마약은 사람을 죽이는 일인데도, 이것에 중독된 사람들은 벗어나기가 힘들다.

공영 방송조차도 연속극이나 쇼프로그램을 통해, 성상품화를 이용하여 돈을 벌고자 한다. 또 수많은 탐욕을 가진 사람들이 성욕을 자극하여 돈을 벌려고 각종 사업을 벌이고 이것이 사람들을 타락하게 만든다. 악순환이 벌어진다.

5) 사람이 독처하는 것이 좋지 않다는 창세기 말씀이나 잠언에서 아내를 얻는 자는 복 받은 자라는 말씀, 그러나 다투는 아내와 사느니 광야에 홀로 거하는 게 좋다는 말씀, 음란한 여자에 빠지는 것은 하나님께 벌받은 사람이라는 말씀, 성욕이 불일듯하는 사람은 결혼하라는 말씀, 기도할 시간 외에는 분방하지 말라는 말씀, 현숙한 여인을 찾아 얻는 사람의 복에 관한 말씀 등을 종합해보면 답을 어느 정도 알 수 있다.

성이나 결혼이 기본적으로 좋은 것이지만, 잘못하면 큰 재앙이고, 잘하면 큰 복이다.

왕들을 망케 하는 일을 하지 말라고 르무엘의 어머니는 자신의 아들 왕에게 말씀한다. 여자들에게 힘을 쓰지 말라는 말씀이다. 돈이 많아지고 권력이 많아지면 그런 경우가 많다. 그리고 솔로몬처럼 망해간다. 더이상 어떤 꿈도 의욕도 사라지고 환락을 추구하게 되기 때문으로 보인다.

하나님의 말씀과 기도에 충실하고 끝까지 성령 충만하지 않으면 솔로몬의 실패를 겪게 된다.

음식을 가려 먹듯이 성과 결혼에서 지혜롭게, 지식을 따라 하나님의 뜻에 맞게 가는 길이 행복의 길이다.

 또 모든 사람들이 이렇게 가도록 국가가 지원해야 한다.

6) 결혼은 사별이 아닌 이혼이 될 경우 큰 상처로 남는다. 그래서 사귀는 것부터 시작해서 아주 주의깊지 않으면 안된다.

61. 의사면허제도, 남편면허, 아내면허, 부모면허

의사는 목숨을 좌지우지하니 면허제도를 두어서 훈련과 시험을 통과한 사람만이 될 수 있다.

남편, 아내, 부모는 더욱더 사람의 목숨을 좌지우지한다. 그러니 당연히 면허제가 필요하다. 운전도 면허제도가 필요한데 결혼도 더욱더 필요하다.

이런 면허가 없는, 즉 훈련되지 않고, 능력도 없고, 시험도 통과하지 못한 검증되지 않은 남자나 여자를 만나서 결혼하고 아이를 낳는 것은 그야말로 폭탄을 끌어안고 사는 것과 같은 위험한 일이다.

나 자신도 검증되지 않은 사람이다.

삼손은 검증되지 않은 여인 들릴라를 만나서 자신의 모든 것을 드러내고 결국 큰 위기로 몰렸다.

62. 여호와를 경외하는 이방 여인 룻

이방 여인으로서 또 모범이 될만한 여호와를 경외하는 여인은 룻이 한 예가 될 수 있다. 홀로 된 시어머니를 끝까지 돌볼 정도로 착한 여인인데, 그러면서도 행복한 여인인데 이 여인이 그 남편에게는 얼마나 복되고 잘하는 여인이었을까?

객관적으로 불행한 상황인데도, 강한 정신력과 하나님을 바라보는 긍정적인 마음으로 행복하게 살 수 있는 사람은 강한 여자이다. 룻은 이삭을 주워 먹는 가난한 삶, 그것도 연로한 시어머니를 돌봐야 하는 상황에서도 기쁨으로 그 일을 하고 있음을 알 수 있다. 그 힘이 어디에서 나왔을까? 그런 지식과 인격은, 그런 지혜는? 놀랍다. 미래에 대한 희망도 잘 보이지 않는데 어떻게 짜증이 안나고 두렵지 않았을까? 그녀는 하나님을 어떻게 알게 되었을까?

보통 우리들이라면 그 상황에 자신의 처지를 비관하거나, 그 시어머니에게 짜증을 내거나, 먼저 죽은 남편에 대해 화를 내거나 했을 것이다.

그런데 룻은 그런 모습이 없다. 가난한데도 밝다. 이것이 힘이다. 어떻게 룻은 이런 여인이 되었을까!

어려서 좋은 부모님 밑에서 큰 것일까? 그녀는 모압 여인이다. 이스라엘 회중에 들 수 없는 여인이다. 그런데 이 여인이 이런 훌륭한 모습이라니.

63. 현숙한 여인 소피아는 강하고 능력있는 여인이다

잠언 31장에 나오는 현숙한 여인은 강한 여인이다. 에밀이 강한 남자였던 것처럼, 이 현숙한 여인의 현숙이라는 단어가 히브리어 원뜻으로 '강한', '팔뚝이 굵은' 이라는 뜻이다. 잠언 31장 초반에는 왕에게 그 어머니가 주시는 교훈이 나온다. 이 어머니는 현숙한 여인이었을 것이다.

개역개정

제 31 장

르무엘 왕을 훈계한 잠언

1 르무엘 왕이 말씀한 바 곧 그의 어머니가 그를 훈계한 1) 잠언이라

2 내 아들아 내가 무엇을 말하랴 내 태에서 난 아들아 내가 무엇을 말하랴 서원대로 얻은 아들아 내가 무엇을 말하랴

3 네 힘을 여자들에게 쓰지 말며 왕들을 멸망시키는 일을 행하지 말지어다

4 르무엘아 포도주를 마시는 것이 왕들에게 마땅하지 아니하고 왕들에게 마땅하지 아니하며 독주를 찾는 것이 주권자들에게 마땅하지 않도다

5 술을 마시다가 법을 잊어버리고 모든 곤고한 자들의 송사를 굽게 할까 두려우니라

6 독주는 죽게 된 자에게, 포도주는 마음에 근심하는 자에게 줄지어다

7 그는 마시고 자기의 빈궁한 것을 잊어버리겠고 다시 자기의 고통을 기억하지 아니하리라

8 너는 말 못하는 자와 모든 고독한 자의 송사를 위하여 입을 열지니라

9 너는 입을 열어 공의로 재판하여 곤고한 자와 궁핍한 자를 신원할지니라

어머니가 자신의 아들인 왕에게 주시는 교훈이다. 그리고 이 어머니는 어떤 여인을 그 아내로 삼아야 하는지에 대해 말씀하신다. 그리고 그 후반에 바로 이 현숙한 여인에 대한 말씀이 나온다. 소피아는 이런 훈련이 되어야 한다.

현숙한 아내

10 누가 현숙한 여인을 찾아 얻겠느냐 그의 값은 진주보다 더 하니라

11 그런 자의 남편의 마음은 그를 믿나니 산업이 핍절하지 아니하겠으며

12 그런 자는 살아 있는 동안에 그의 남편에게 선을 행하고 악을 행하지 아니하느니라

13 그는 양털과 삼을 구하여 부지런히 손으로 일하며

14 상인의 배와 같아서 먼 데서 양식을 가져 오며

15 밤이 새기 전에 일어나서 자기 집안 사람들에게 음식을 나누어 주며 여종들에게 일을 정하여 맡기며

16 밭을 살펴 보고 사며 자기의 손으로 번 것을 가지고 포도원을 일구며

17 힘 있게 허리를 묶으며 자기의 팔을 강하게 하며

18 자기의 장사가 잘 되는 줄을 깨닫고 밤에 등불을 끄지 아니하며

19 손으로 솜뭉치를 들고 손가락으로 가락을 잡으며

20 그는 곤고한 자에게 손을 펴며 궁핍한 자를 위하여 손을 내밀며

21 자기 집 사람들은 다 홍색 옷을 입었으므로 눈이 와도 그는 자기 집 사람들을 위하여 염려하지 아니하며

22 그는 자기를 위하여 아름다운 이불을 지으며 세마포와 자색 옷을 입으며

23 그의 남편은 그 땅의 장로들과 함께 성문에 앉으며 사람들의 인정을 받으며

24 그는 베로 옷을 지어 팔며 띠를 만들어 상인들에게 맡기며

25 능력과 존귀로 옷을 삼고 후일을 웃으며

26 입을 열어 지혜를 베풀며 그의 혀로 인애의 법을 말하며

27 자기의 집안 일을 보살피고 게을리 얻은 양식을 먹지 아니하나니

28 그의 자식들은 일어나 감사하며 그의 남편은 칭찬하기를

29 덕행 있는 여자가 많으나 그대는 모든 여자보다 뛰어나다 하느니라

30 고운 것도 거짓되고 아름다운 것도 헛되나 오직 여호와를 경외하는 여자는 칭찬을 받을 것이라

31 그 손의 열매가 그에게로 돌아갈 것이요 그 행한 일로 말미암아 성문에서 칭찬을 받으리라(잠언 31장, 개역개정)

 위의 10절의 히브리어 성경 본문은 다음과 같다.

הרכם סיננפמ קחרו אצמי ימ ליח־תשא: 여기서 현숙에 해당된 단어 חיל 은 힘으로 번역될 수 있다.

chayil: strength, efficiency, wealth, army

Original Word: חַיִל

Part of Speech: Noun Masculine

Transliteration: chayil

Phonetic Spelling: (khah'-yil)

Definition: strength, efficiency, wealth, army(출처: BIBLE HUB)

위에 보면 고운 것도 거짓되고 아름다운 것도 헛되나 오직 여호와를 경외하는 여인이 칭찬을 받으리라는 말씀이 이 현숙한 여인에게 붙는 칭호이다.

많은 여인들이 본능적으로 고운 모습, 아름다운 모습에 신경을 쓰고 남자들도 그런 여인을 찾으나 이런 것이 속절없이 나이와 함께 무너져가는 것을 볼 수 있다.

정작 중요한 것은 그 내면적인 힘인데 이는 여호와를 경외하는 데서 나온다.

어떤 여인이 여호와를 경외하는 여인일까! 마음을 다하고 뜻을 다하고 힘을 다하여 여호와를 섬기는 여인이며 가난하고 힘든 사람들을 돕는 여인이며, 공평과 정의를 추구하는 여인이 바로 여호와를 경외하는 여인임을 알 수 있다.

성경에는 그런 여인들이 나온다. 대표적인 인물이 예수님의 어머니 마리아이시다.

세계 역사의 흐름을 이해하고 하나님의 역사 앞에서 자신의 쓰임받음을 겸허하고 강하게 받아들이는 여인이시다.

자신이 죽을 수도 있는 상황에서 임마누엘이신 예수님의 잉태를 처녀의 몸으로 받으시고 순종하신다. 마치 에스더가 죽으면 죽으리라는 각오로 금식 후에 아하수에로 왕 앞으로 나가는 것처럼.

이렇게 하나님의 사역에 자신의 목숨과 가진 것들을 내어놓는 여인이 여호와를 경외하는 여인이라 할 수 있다.

아브라함의 아내 사라도 그런 여인이시다. 자신이 안정적으로 살고 있는 곳을 떠나 죽음의 위험, 남편에게서 빼앗길 위험을 감수하고서 머나먼 타향으로, 하나님께서 가라 하신 곳으로 떠나신다. 그곳에서 여러 목숨의 위험을 무릅쓰면서도 그녀는 남편과 자신에게 주어진 새로운 민족을 이루는 사명을 감당해내신다.

그녀의 며느리 리브가도 마찬가지로 여호와를 경외하는 여인이시다. 믿음의 남편 이삭이 있는 곳으로 홀홀 단신 떠나서 하나님께서 자신들의 가정에 주신 소명, 그 시부모님으로부터 내려온 소명을 감당하신다.

자신의 첫째 아들인 에서가 그 일에 합당하지 않자, 부모로서의 연정을 과감히 버리고 하나님을 경외하는 아들이 장자가 되도록 목숨을 걸고 도우신다. 하나님을 경외하는 여인들은 이렇게 정의감이 투철하셨다.

반대로 아합의 아내 이세벨의 경우는 정의 추구함이라곤 그 인생 내내 찾아볼 수 없다. 우상 숭배와 남의 것 찬탈, 왕위

유지를 위한 잔악함과 가증함. 그리고 그로 인하여 개에게
그 살이 뜯겨져 장사지낼 뼈조차 추릴 수 없는 끝을 맞이하
게 된다. 그녀는 외모가 아름다웠을 것으로 보인다. 그러나
추한 끝을 만나게 된다.

64. 달리기와 발레, 그리고 산타기

 루소는 아이들에게 말타기 보다는 걷기와 뛰기를 가르치라
고 에밀에서 적는다. 전쟁이 나면 말 등은 거의 필요없고 누
가 잘 걸을 수 있는가가 생존에 중요한 요소라고 말한다.
 소피는 아주 잘 뛰는 여자 아이로 나온다.
 아이와 달리기 놀이를 할 때는 약간의 경쟁심을 유발하고
보조를 맞추어서 아이가 이길 수 있도록 해주어야 흥미를 잃
지 않는다.
 그러다가 한번씩 또 아빠가 이기고 지고를 반복해준다.
 무리하지 않으면서 이렇게 달리기 시합을 하는 것은 신체
발달에 아주 좋은 방법이다.
루소는 발레보다는 산에서 내려오는 것이 아이의 신체 균형
잡기에 더 도움이 된다고 이야기하신다.
 같이 산에 오르고 내리면서 다양한 수목과 동물 곤충들을
관찰하는 것도 아주 좋은 교육 방법이다.
 아버지는 어렸을 때 나에게 뜀마뜀마를 자주 해주셨다. 아

빠의 발등에 올라타서 아빠의 손을 잡고 걸음마를 배우게 해 주신 것이다.

지금도 그 느낌이 기억난다. 아빠의 목소리, 다정한 손잡기, 그리고 그 든든함.

65. 역할 놀이, 동물 놀이, 모방 놀이

소피아와 역할 놀이를 하는 것도 역지사지를 하는 데 아주 좋은 도구가 된다.

아빠와 딸을 서로 바꿔서 해보는 것은 서로를 이해하는 데 도움이 된다.

또 동물 놀이도 좋은 방법이다. 각종 동물들을 흉내 내면서 그 동물의 입장이 되어보고, 식물이 되어보기도 하고 하나님 께서 왜 어떻게 이런 동물과 식물을 창조하셨는지 고민해보 는 것도 어려서 부터 이런 분야의 학문에 다다르는 좋은 방 법이다.

백과 사전이나 도해 문서들, 그리고 좋은 동영상들을 함께 보면서 이야기하는 것도 좋은 방법이다.

상상력과 표현력, 대화법 등을 키우고, 문학적 감각을 키우 는 데도 좋다.

66. 요리 참여, 그리고 아빠의 집안 일

아이들을 요리 과정에 참여시켜서 자연스럽게 요리를 배우게 해주는 것도 중요하다.

나는 초등학교 시절부터 김장이나 간단한 요리 등에 참여했다. 먼저는 심부름을 통해서 두부나 여러 재료들을 시장에 가서 사오는 일들을 했다. 이 과정을 통해 시장 상황도 알게 되고, 계산법을 통해 수학도 배우게 되고 판단력, 분별력, 선발력, 대화법 등을 배우게 된다.

김치 담그실 때, 마늘까기, 파 다듬기 등의 일들을 했다. 고추와 마늘 갈기 일들도 했다.

남자 아이가 어려서부터 이렇게 요리에 참여하고 설겆이등을 하는 것은 아주 좋은 일이다. 요리는 아이들의 정서 순화에도 도움이 된다고 했다.

아빠가 아이들 눈 앞에서 집안의 여러 일들을 하는 것을 보여주는 것이 중요합니다. 빨랫감을 모아서 세탁기에 넣고 돌리는 모습과 빨래를 건져서 말리는 일, 다시 마른 옷들과 수건들을 정리하는 모습 등을 딸들 앞에서 보이는 것은 중요합니다.

아빠가 요리하는 모습을 보이는 것도 중요합니다. 누구든지 으뜸이 되고자 하는 자는 만인의 종이 되어야 한다고 예수님께서 말씀하시고 직접 식탁에서 서비스하는 일을 예수님은 많이 하셨습니다.

하나님이신 예수님도 이렇게 섬기셨는데, 아빠가 가족들을 여러 면에서 섬기는 모습을 보이는 것은 딸들과 아들들에게도 아주 중요합니다.

나는 운동도 잘 했지만 요리도 좋아했다. 특히 어머니를 도울 수 있다는 것이 행복했다.

소피아도 이렇게 요리를 해가면 좋다.

67. 장단주기 분배와 교육

장단주기 재분배를 통해 빈부 계층간의 불균형적 교육 투자비[1]를 적정하게 공평한 선에서 제공해주는 것이 빈곤의 대물림[2]을 막을 수 있음이 분명하다.

북한[3]은 어떻게 하고 있을까? 통일을 대비해서 남한의 공평이 북한의 평등을 능가하지 못하면 우위를 점할 수 없다.

남한은 빈부계층간 교육비의 절대액의 차이가 커지는 것은 당연하고 비율[4]의 차이도 더욱 커져가고 있다.

영재아와 관련한 자료[5]도 장단주기 재분배의 필요성이 보여진다.

기업의 성장도 R&D 투자에 달려 있다. 한국 기업들의 성장 잠재력이 문제되고 있는데[6] 이는 국민 전체의 인재 풀

축소와도 밀접한 관련이 있다.

 김광종의 저서 장단주기 분배론에서 토지 노동 자본이라는 생산의 3요소가 교육과 밀접한 관련 또는 변형된 형태로 나타나는 자본주의 시대에서 이 부분에서 이뤄지는 분배가 빈부 격차를 해소하는 주요 수단이 될 수 있다고 하였는데 이는 지극히 당연한 이유다.

 이 교육 영역에서의 분배가 토지 분배, 자본 분배, 노동 분배의 정의보다 더욱더 중요한 시대가 되었다. 당연히 위 세 영역은 모두 교육과 깊은 관련이 있다. 따라서 세 영역에서의 기존의 분배와 함께 교육을 통해 이 세 영역 분배 정의 고도화 작업이 정치 영역에서 기업 영역에서 필요하다.

----

1)계층간 가계수지 양극화현상 심화 (2004/02/11 15:39 송고)

교육비 부담이 가계적자의 주요인

(서울=연합뉴스) 김인철 기자 = 수입보다 지출이 많은 적자(赤字) 가정이 중산층 이상 계층에서 갈수록 줄어드는데 반해 빈곤층에서는 오히려 늘어나는 등 계층간 가계수지 양극화현상이 심화되고 있는 것으로 나타났다.

또 전체 가계지출 항목에서 사교육비를 포함한 교육비가 차지하는 비중을 보면 적자가정이 흑자(黑字)가정보다 훨씬 높은 것으로 조사됐다.

경상대 김학주(사회복지학) 교수는 11일 한국노동연구원 등의 주관으로 이화여대 포스코관에서 열린 `제5회 한국노동패널 학술대회'에 제출한 `소득계층별, 종사상 지위별 가계부채에 관한 연구' 논문을 통해 이 같이 밝혔다.

논문에 따르면 한국노동연구원의 1~5차(1998~2002년) 노동패널 조사대상 가운데 4천187가구의 수입과 소비지출 내역을 분석한 결과, 수입보다 지출이 많은 빈곤층의 적자가정 비율이 98년 48.7%에서 2002년 63.6%로 증가했다.
김 교수는 최저생계비 대비 가구소득 비율 100% 이하는 극빈층, 101~200%는 차상위층, 201~400%는 저소득층, 401~800%는 중간층, 800% 이상은 고소득층으로 각각 분류했다.

이를 기준으로 한 차상위층의 적자가정 비율은 98년 15.0%에서 2002년 20.4%로 늘어났다.

반면 저소득층은 8.6%에서 4.1%, 중간층은 5.6%에서 0.64%로 각각 감소하고 고소득층은 98년 2.4%이던 적자가정이 2002년에는 완전히 사라지는 등 계층간에 한층 심화된 가계수지 양극화현상이 나타났다.

극빈층 적자가정과 흑자가정의 월평균 공.사교육비 지출은 각각 12만4천600원, 3만1천400원으로 9만3천200원이 차이가 났고 중간층에서는 163만6천700원, 30만8천600원으로 차액이 무려 132만8천100원에 달해 교육비 부담이 가계 적자의 주요인으로 분석됐다.

한편 경북대 김성환(경제학) 교수 등은 이날 학술대회에서 `빈부격차 확대의 원인과 대책'이란 논문을 통해 "노동패널 1~5차 조사

때의 2천824가구를 분석한 결과,소득분배의 형평성을 나타내는 지니계수가 가구소득의 경우 97년 0.391, 98년 0.384, 99년 0.397, 2000년 0.404, 2001년 0.415로 점차 악화됐다고 밝혔다.
aupfe@yna.co.kr
2004/01/25 14:16 송고

2)〈 사교육 격차로 학력수준도 `세습' 〉
대입제도 개선, 지역.빈부격차 해소 역부족

입학 후 성적도 `강남 강세'
(서울=연합뉴스) 강훈상기자 = 정부가 학교교육 정상화와 교육 기회균등을 위해 수십년간 내놓고 있는 입시제도안이 `강남'이라는 높은 벽을 넘어서지 못하고 오히려 고학력층이 세습되고 있어 근본적인 대책이 요구된다.

25일 서울대 사회과학연구원 김광억 교수 연구팀이 34년간 서울대 사회대 9개학과에 입학한 학생 1만2천538명의 학생카드 기재 사항을 분석한 결과, 강남권의 학생들은 입시제도가 바뀐 뒤 일시적으로 입학률이 떨어졌지만 다른 지역보다 월등하게 많은 서울대생을 배출하고 있는 것으로 조사됐다.

연구팀은 이 같은 현상에 대해 새로운 입시제도가 도입되더라도 고소득 계층이 모여사는 강남권 학생들은 사교육을 통해 단시간에 쉽게 극복하고 다시 `정상궤도'에 오르는 것이라고 풀이했다.

지난해 11월 한국노동연구원의 연구결과에 따르면 서울 강남.서초.송파구 등 강남권 학부모들이 지출하는 가구당 월평균 사교육비는 62만7천원으로 전국 평균치의 2.6배에 달했다.
◆ 강남 8학군의 `불패신화' = 고소득.고학력층이 모여사는 강남 8

학군은 입시제도의 변화에도 서울대 합격생들을 배출, 고학력 부모 아래 부유한 환경에서 자란 자녀가 다시 명문대에 입학하는 `세습 현상'이 고착되고 있는 것으로 나타났다.

연구팀에 따르면 80년대 이후 지난해까지 서울지역 전체의 전국 대비 입학률은 1.5배 내외를 기록했지만 강남 8학군의 학교는 2배 에서 3.5배까지 사이를 꾸준히 유지, 지방 뿐 아니라 서울의 다른 지역보다 현격한 격차를 지속했다.

다만 이 지역은 예비고사에서 학력고사로 전환된 1982년, 논술고 사가 도입된 1986년, 학생부 성적이 처음 포함된 1997년 등 굵직 굵직한 입시제도의 변화가 있던 해에만 일시적으로 입학비율이 출 렁거렸을 뿐 다시 원상을 회복하는 `힘'을 보여줬다.
부모의 학력기록이 남아있는 자료로 분석한 연구결과 1975~2002 년 서울대 사회대 입학생 가운데 대졸학력 아버지를 둔 학생은 5.8배로 증가했지만 아버지가 고졸미만인 학생은 90년대 이후 꾸 준히 감소세를 보였다.

또 의사, 교수 등 전문직과 4급이상 공무원, 간부급 회사원 등 고 소득직군 아버지를 둔 자녀가 전체 사회대 입학생 가운데 차지하 는 비율이 비고소득직군에 비해 20배 높은 수준으로 격차가 꾸준 히 확대되는 양상을 보였다고 연구팀은 밝혔다.

◆ 입학 후 성적도 고소득.고학력층 우세 = 같은 서울대 사회대에 입학했어도
부모가 고소득.고학력인 학생들의 입학 후 성적이 높은 것으로 조 사됐다.

연구팀의 결과에 따르면 1981~2002년 부모가 고소득직군에 있는

입학생의 학부 4년간 성적이 비고소득층에 비해 0.11점 높았다.

대졸이상 학력의 아버지를 둔 학생들의 성적 역시 고졸 아버지의 자녀보다 0.11점이 높았고, 강남 8학군 출신 학생의 성적이 서울의 다른 지역 학생보다 평균 0.12점 앞섰다.
연구팀은 "고소득.고학력을 가진 부모의 자녀들이 입학 후 학점이 높은 것은 부유한 환경의 학생들이 사교육으로 인해 입학률이 높고 장래 유학 등을 목표로 학점을 중요시하는 경향이 있다는 가설을 세울 수 있다"고 지적했다.

◆ 고교평준화 `실패', `범재' 양산 = 연구팀은 저소득층의 입학 가능성을 높이려고 도입한 고교평준화와 쉬운 대입시험 문제가 오히려 반대의 결과를 초래했다고 밝혔다.
연구팀은 "지난 30여년간의 교육정책 변화는 오히려 고학력.고소득층 부모를 가진 학생들의 입학 가능성을 높였다"며 "입시제도를 바꿔 사회계층의 고착화를 막자는 시도는 효과적이지 않았음을 시사한다"고 결론지었다.

결국 고교평준화와 대입시험문제를 쉽게 낸 고액과외 등 사교육을 약화시켜 저소득층 학생들이 고학력층에 흡수되도록 한다는 정부의 대입정책은 일단 실패로 돌아간 셈이다.

이 같은 결과는 평준화로 학교에서 우수학생 만을 따로 분리해 교육시킬 수 없게 되자 사교육을 받지 못한 저소득층 학생의 일류대 진학이 더욱 어렵게 됐기 때문이다.

또 쉬운 문제를 강조하는 정부의 정책 방향은 학생들에게 지능보다 반복학습을하도록 해 `천재' 보다는 `범재'들이 반복학습으로 단지 계산을 틀리지 않게 하는 과외에 대한 의존도를 높였다는 분석을 연구팀은 내놨다.

연구팀은 "현행 입시제도는 사교육으로 무장한 부유층 학생과 재수생에게 유리한 제도"라며 "향후 입시제도의 목표는 소득의 평준화보다 학교교육의 내실화를 높여 사교육비을 공교육으로 흡수하는 방향으로 나가야 된다"고 제안했다.
hskang@yonhapnews.net

3) 〈 임금 대비 北무상교육비 규모는 〉 (2003/12/22 15:50 송고)

(서울=연합뉴스) 정준영기자= 북한이 탁아소부터 대학까지 1명을 교육하는 데 드는 비용은 노동자 1명이 7-12년간 받는 생활비와 맞먹는 것으로 전해졌다.

22일 북한 웹사이트 `우리민족끼리'가 소개한 북한 교육제도에 따르면 1명을 탁아소, 유치원, 소학교를 거쳐 대학까지 공부시키는 데 국가가 부담하는 돈은 보통 노동자 1명이 7-12년간 받는 생활비에 해당한다.

이런 계산은 북한이 취학전 1년과 소학교 4년, 중학교(고등학교 포함) 6년 등 모두 11년 동안 의무교육을 실시하고 있을 뿐 아니라 비록 의무교육 대상은 아니지만 대학교육도 국가가 비용을 부담하기 때문에 나온 것으로 보인다.

재학기간에 대학생 1명에게 지급되는 장학금 규모는 노동자 1명의 1년3개월치 보수와 맞먹는다.

북한은 교과서와 참고서 값의 일부도 보상해 준다. 소학교 및 중학교 학생 교과서 값의 60% 이상과 대학생 교과서 값의 40-50% 가량을 국가가 보상해 준다는 게 `우리민족끼리'의 설명이다.

이와 함께 학생들의 견학, 야영, 예술, 체육 활동에 필요한 비용도 모두 국가가 부담한다. 실제로 한 집에서 학생 2명을 소년단야영소에 보냈다면 이 비용은 보통 노동자가 6개월 간 받는 생활비에 해당한다는 것.

한편 북한은 학생들의 등교사정을 감안해 낙도와 산골 등 오지에 1천520여 개의 분교를 운영, 3천여 명의 교원이 2만5천여 명의 학생을 가르치고 있다고 `우리민족끼리'는 소개했다.
prince@yonhapnews.co.kr

4) 저소득층 住.食 부담 커졌다 (2003/12/21 08:00 송고)
(서울=연합뉴스) 최윤정 기자 = 올들어 저소득층이 먹고(食) 사는 데(住) 지출하는 비용 부담이 커져 생활고를 가중시키는 요인으로 작용하고 있는 것으로 나타났다.

21일 재정경제부에 따르면 소득규모 하위 20%(1분위)인 저소득층의 지난 3.4분기 지출액 가운데 주거비와 외식비 비중은 5.6%와 12.6%로 작년 동기의 4.7%, 11.6%에 비해 크게 높아졌다.

특히 월세, 아파트 관리비 등이 포함된 주거비의 경우 지출 금액이 평균 6만3천원으로 소득 상위 20~40% 계층(4분위)의 5만5천800원보다도 오히려 많았다.

외식비 증가는 저소득층 여성들이 가계 소득에 일조하기 위해 일터로 나오면서 식사를 밖에서 해결하는 경우가 많아진데 따른 것으로 해석됐다.

통신비 비중도 작년 3.4분기 7.4%에서 올 3.4분기 8.3%로 늘어 부담이 커졌고 보건의료비 비중도 5.1%에서 5.5%로 소폭 높아졌다.

반면 학원비 등 교육비 비중은 9.5%에서 9.4%로 소폭 하락했고 피복.신발은 4.4%에서 3.8%로 축소돼 자녀 교육을 위한 지출과 사치성 소비는 줄이고 있는 것으로 해석됐다.

이와는 반대로 상위 20%(5분위)의 고소득층은 교육비와 보건의료, 가구.가전 부문에 대한 지출 비중이 커졌다.
이들 계층의 교육비는 자녀의 해외 연수.유학이 늘면서 작년 3.4분기 13.5%에서 올 3.4분기 14.8%로 큰 폭으로 상승, 다른 부문에 대한 구매력 약화를 야기했다는 분석이다.

또 보건의료 부문의 비중은 발 마사지기 등 의료기구 구입이 증가하며 3.9%에서 4.5%로 높아졌고 가구.가전부문은 고급 가전기구 교체 붐이 이어지며 4.3%에서 5.1%로, 통신비도 5.3%에서 5.5%로 각각 비중이 높아졌다.

재경부 관계자는 "저소득층은 주거비 때문에 생계에 부담을 느끼고 있으며 고소득층은 자녀교육에 돈을 쓰느라 외식, 피복.신발 등 내수에 도움이 되는 부문에 지출을 못하고 있다"라고 말했다.(표있음)
merciel@yna.co.kr

5) 〈 영재아 부모 고학력.고소득.전문직 `주류' 〉2004/02/08 05:15 송고

영재성 4~6세 발견, 성격-교우관계 어려워

(서울=연합뉴스) 강의영기자= 서울대가 고소득.고학력.전문직 부모를 둔 자녀의 입학률이 높다는 통계를 기초로 평준화제도가 실패했다는 진단을 내놓아 논란이 일고 있는 가운데 영재아 부모도 보통아 부모 보다 고소득.고학력.전문직 비율이 높은
것으로 조사됐다.

또 자녀의 영재성을 발견한 시점은 4~6세, 지도 방법은 `다양한 교구.교재 제공 및 독서 권장'이 가장 많고 영재아가 갖는 문제로는 가정에서는 `성격', 학교에서는 `교우관계'가 꼽혔다.

이는 한국교육개발원 김홍원 박사팀이 교육인적자원부의 용역을 받아 작성, 8일 제출한 `초등 영재학생의 지적.정의적 행동특성 및 지도방안 연구' 보고서에서 밝혀졌다.

연구는 영재교육을 받은 경험이 있거나 없는 초등 2, 4, 6학년 영재아 392명을 IQ 140(2학년 130) 이상 고지능 집단(199명)과 IQ 120~139(2학년 120~129)의 적정지능 집단(193명)으로 나눠 IQ 90~109의 보통아 집단과 비교, 분석했다.

◆가정환경 = 보고서에 따르면 영재아 아버지의 학력은 대졸이 39.6%로 가장 많은 것을 비롯해 석사 7.9%, 박사 3.4% 등 4년제 대학 졸업 이상 학력이 50.9%였으나 보통아의 아버지는 고졸이 46.4%로 가장 많았고 대졸 이상은 34.4%였다.

어머니 학력은 영재아와 보통아 모두 고졸이 54.7%, 65%로 가장 많았지만 대졸 이상은 영재아가 31.1%, 보통아가 25.9%였다.

영재아 아버지 직업은 전문직(21.1%, 보통아 12.9%), 행정관리직(9.1%, 보통아2.4%), 사무관리직(19.7%, 보통아 14.7%)의 비율이

높은 반면 보통아의 아버지는 판매.서비스직(46.5%,영재아 33.8%), 생산.기능직(18.8%,영재아 11.9%)이 상대적으로 많았다. 어머니 직업은 영재아의 경우 주부(62.3%, 보통아 53.6%), 전문직 (8.4%, 6.7%), 행정관리직(3%, 0%), 그리고 보통아는 판매.서비스 직(28.5%, 영재아 16.5%)의 비중이 컸다.

소득은 100만~200만원(영재아 60.7%, 보통아 52.6%), 100만원 미만(영재아 22%,보통아 44%)이 각각 1,2위였고 200만~300만원 은 영재아가 11%, 보통아가 3.4%였으며 300만원 이상은 영재아 는 6.3%에 달했으나 보통아는 전혀 없었다.

학부모 양육태도 및 부부관계에 있어서는 4점 척도로 관심(영재아 2.13, 보통아1.89), 지원(2.18, 2.01), 자율(2.2, 2.1), 공유(2.07, 1.93), 부부관계(2.31, 2.17)등 모든 측면에서 영재아가 높았다.

◆양육실태 = 자녀의 영재성을 발견한 시기는 4~6세 31.6%), 2~3세(28.7%), 7~9 및 10~12세(각 15.4%), 0~1세(8.1%) 순이었 고 단서(복수응답)는 ▲어휘.언어 구사력(38.9%) ▲기억.암기력 (25.4%) ▲이해력 및 수리력(각 19.8%) ▲집중력.끈기(18.2%) ▲ 창의적 과학문제 해결력, 예.체능계 재능, 지적 호기심(각 12.7%) ▲독창성.기발함(9.5%) 등이었다.

영재성을 발견했을 때의 지도는 다양한 교재.교구 제공과 독서권장 (40.5%), 격려.칭찬.관심 표현(28.6%), 사설학원 또는 개인지도 (16.7%), 다양한 기회.경험 제공(11.9%) 등이었고 "해준 게 없다" 는 응답도 33.3%에 달했다.

또 영재아가 가정생활에서 겪는 어려움은 성격(34%), 대화 부족 (23.4%), 형제간 갈등 및 경제문제(각 19.1%) 등이, 학교생활에서의 어려움은 교우관계(54.5%), 성격(18.2%), 수업 흥미 부족 (16.7%), 교사 이해 부족(10.6%) 등이, 또 영재자녀 지도시 어려 움은 성격, 교육방법, 사교육비 과다 지출, 교육기관.과정 부족 등 이 꼽혔다.

보고서는 학부모들이 공통적으로 공교육 내실화, 능력.특기.적성에 맞는 다양한 교육기회 제공, 체계적 영재교육, 인성교육 등을 요구 했다고 설명했다.

◆영재교육 = 언어.공간.수리적 창의성과 논리적 사고력 등 지적 특성을 측정한 결과, 고지능 영재아와 적정지능 영재아, 보통아 사 이에 모두 큰 차이가 나타났다.

또 영재교육을 받은 영재아와 그렇지 않은 영재아 사이에서도 비 슷한 결과가 나왔고 학년이 올라갈수록 그 격차가 커지는 것으로 조사됐다.

정의적 특성에서는 학업적.사회적 자아개념과 자아존중감, 완벽주 의, 동기특성 등이 영재아이거나 영재교육을 받을수록 높고 주의력 결핍 및 과잉행동 등은 낮았으나 학년이 올라가면 그 차이가 줄어 드는 것으로 분석됐다.

영재아의 학습양식은 의존적이기보다 독립적이고 회피적이기보다 참여적이며 학습방법은 질문을 통한 이해 확인, 독립학습, 토론, 게임수업 등을 선호했다.
keykey@yna.co.kr
6)(서울=연합뉴스) 2004.04.07 권정상기자= 한국의 대표적 기업들 은 지난해 해외 주요 기업들에 비해 수익성 면에서는 다소 앞섰으 나 성장성과 투자 면에서는 크게 뒤진 영업 활동을 보인 것으로

분석됐다.

삼성경제연구소가 7일 국내 20개사와 해외 25개사 등 45개 국내외 대표 기업의 2003년 영업 성과를 비교, 분석한 결과에 따르면 한국 기업의 지난해 매출 증가율은 2.8%로 해외 기업의 매출 증가율 11.8%보다 9% 포인트나 낮은 것으로 나타났다.

국내 기업의 매출 증가율은 지난 2001년 3.8%에서 2002년 11.4%로 높은 성장세를 보이다 지난해에 큰 폭으로 둔화된 반면 외국 기업은 2001년 -2.7%, 2002년 1.0%에서 작년에는 괄목한 만한 신장세를 보였다.

업종별로는 철강과 통신에서만 한국 기업의 매출 증가율이 해외 기업을 앞질렀을 뿐 나머지 분야에서는 모두 해외 기업에 뒤졌다.

또 국내 기업의 매출액 대비 연구.개발(R&D)비는 2.8%로 해외 기업의 5.5%에 비해 절반 수준에 머물렀다.

특히 삼성전자, 삼성전기, 삼성SDI 등 일부 기업을 제외한 대부분의 국내 기업은 R&D 투자비율이 4% 미만에 그치는 등 R&D 투자 면에서 해외 기업에 비해 절대적인 열세에 처해 있는 것으로 지적됐다.

수익성 측면에서는 국내 기업들이 해외 기업보다 다소 우위를 나타냈다. 지난해 국내 기업의 영업이익률과 순이익률은 각각 11.3%와 8.1%로 해외 기업의 8.1%와 5.9%보다 높았고 자기자본이익률(ROE)은 한국 기업 16.6%, 해외 기업 16.8%로 비슷한 수준을 보였다.

그러나 한국 기업의 ROE는 전년보다 1.8% 포인트가 낮아진 반면 외국 기업은 6%포인트나 높아지는 등 해외 기업들의 수익성 개선이 두드러졌다.

부채비율은 한국 기업이 91%로 해외 기업의 318%보다 현저히 낮은 수준인 것으로 조사됐다.

한편 국내 기업의 지난해 주가수익비율(PER)은 평균 9배로 해외 기업의 21배보다 크게 낮아 국내 기업들이 크게 저평가돼 있음을 반영했다.

연구소측은 시가총액 기준 업종별 상위 2위에 속한 한국기업 20개와 미국 경제전문지 포천이 선정한 2003년 미국 500대 기업 및 2002년 세계 500대 기업 중 매출액 기준 상위 2위에 속한 해외 기업 25개를 비교 대상으로 삼았으며, 전기.전자업종의 경우 국내 4개사, 해외 9개사를 포함시켰다고 설명했다.

삼성경제연구소 김종년 수석연구원은 "해외 주요 기업들이 구조조정에 주력하는 사이에 반사이익을 얻었던 국내 기업들이 지난해 성장세가 한풀 꺾였다"고 분석하고 "이는 국내 기업들의 향후 경영 여건이 더욱 악화될 것임을 예고하는 것"이라고 진
단했다.

jusang@yna.co.kr

68. 누구나 인생엔 자베르가 있다.

장발장의 허물을 헤쳐내려는 자베르가 끝까지 추적한다. 장발장은 새로운 인생을 살면서 남들에게 도움을 주면서 살기를 원하지만 자베르는 장발장의 잘못된 과거의 허물을 밝히려 계속 추적한다.

누구의 삶에든 자베르가 있다. 그 자베르에겐 또 다른 자베르가 있을 것이다.

사탄도 자베르의 원조이다.

그럼에도 불구하고 장발장은 쫓기면서도 자베르의 위기 앞에서 그를 구해준다. 자베르는 자신의 인격과 장발장의 인격의 차를 느끼게 되고 결국 자살로 그 추적을 마친다.

예수님은 우리를 자베르의 추적으로부터 구해내셨다. 그의 주위엔 세리와 창녀가 많았다.

계속 그들의 과거를 들추어내는 서기관과 바리새인들 앞에서 예수님은 먼저 회개한 그들이 천국에 들어갈 것이라고 말씀해주셨다.

69. 눈치를 보고 살게 키워야 한다.

요즘 부모들은 자식들이 남의 눈치 보지 않고 살게 키운다. 이는 불행의 근원이며, 진정한 왕따가 되는 원인이 된다. 때론 사람에게 왕따가 되는 것은 나쁜 일만은 아니다. 왕따를 시키는 자들이 악하다면 이는 좋은 징조다.

예레미야는 왕따가 되었다. 주변 모두가 그의 대적이 되었다.

정의를 위해, 하나님의 눈치만 보며 사람의 눈치를 보지 않아야 한다.

그러나 타인들, 특히 나에게 정당한 위화감을 느낄 수 있는 사람들을 위해 내가 누릴 수 있는 것도 하지 않는 눈치봄이 있어야 한다.

남의 아이들보다 좋은 옷을 입히지 말아야 한다. 남의 아이들보다 더 고급스런 음식을 먹이지 말아야 한다.

목민심서에서 수령이 자신의 아버지의 생신 잔치를 열지 않아야 하고 열려면 고을의 가난한 노인들을 초정해서 해야 한다고 하신 이유도 이런 데서 나온다. 가난한 사람들이 수령 아버지의 사치스러운 생신 잔치를 보고 하늘에 원망할 수 있고, 이는 아버지에게 저주로 돌아온다는 것이다.

내 자녀에게 사치스럽게 해주는 것이 그렇게 할 수 없는 부모나 그의 자녀들의 하늘에 대한 원망으로 이어진다면 이는 결코 복이 되지 않는다.

육체가 누리는 것에서는 모자라게 하며, 정신이 누리는 것에서는 보다 풍요롭게 만들어주어야 한다.

그럴 때 그는 은총이 가득한 사람, 카리스마가 있는 사람으로 성장하게 된다. 그리고 그는 그 카리스마, 은총으로 모든 사람을 행복하게 해주는 일에 성공을 거두게 된다.

70. 언제 결혼해야 할까

혼전 순결을 지켜야 한다. 자위도 하지 않는 것이 좋다.

운동을 많이 하고 건전한 놀이를 많이 하면 된다. 그럼에도 불구하고 정욕이 더욱더 많은 에밀이나 소피아는 일찍 결혼해도 좋다고 본다.

부모님들이 능력이 된다면 대학에 입학한 후 일찍 결혼하고 공부해가도 좋다고 본다.

상대를 어떻게 고를지는 잘 생각해야 한다. 양쪽 집안의 소개나 주변의 소개, 또는 학내에서 서로 잘 구별하여 만나면 된다.

　결혼하면서 학업을 유지하기는 쉽지 않다. 자녀를 출산할 경우에는 더욱더 어려운 상황이 된다. 누군가 경제적으로나 육아를 도와줘도 쉽지 않다.

　그래서 자녀 출산은 직업을 가진 후로 미루는 것이 좋다.

　결혼 전에 남녀 관계, 부부 사이의 여러 문제에 대한 지식과 훈련이 있어야 한다. 그렇지 못하면 여러 문제에 봉착하고 득보다 실이 많게 된다.

　유럽이나 오늘날 대한민국에서도 혼전 동거나 혼전 성관계가 많으나 이는 절대적으로 바람직하지 못하다. 어쩔 수 없는 경우도 있을 수 있으나 이것이 당연한 것으로 되는 것은 결코 바람직하지 못하다.

　결혼은 둘 만의 문제가 아니며, 거룩한 자녀의 문제이기 때문이다.

　자궁은 아이의 집이다. 여자가 자기 마음대로 쓸 수 있는 곳이 아니다.

71. 추위와 더위에 대한 훈련

따뜻한 물로 씻으면 좋다. 발은 당연히 샤워 후 찬물로 씻어야 한다. 대변을 본 후에는 모두 따뜻한 물로 좌욕을 하면 좋다.

또 따뜻한 물로 샤워를 한 후 차가운 물로 발이나 얼굴 등을 잠간 씻는 것도 온열 요법으로 좋다.

북유럽에서 사우나와 얼음물 사이를 오고가는 것과 같은 이치다.

겨울에도 찬 곳에 나가서 잠간이라도 운동하는 것이 좋다. 특히 사계절이 있는 대한민국에서는 추위와 더위에 대한 적응 훈련이 필요하다. 그래야 감기도 잘 걸리지 않는다

72. 남자 보는 눈을 가르쳐야 한다.

딸 아이들에게 남자 보는 눈을 가르쳐야 한다. 남자 아이들의 인성을 구별할 능력이 필요하다.

성경에 나오는 남자들의 특성을 보면서 이를 가르쳐도 좋다. 아담의 성공과 실패, 아브라함의 성공과 실패, 이삭, 야곱, 그들의 열두 아들의 특성, 다윗, 다니엘, 느헤미야, 세례 요한, 예수님, 열 한 제자, 백부장, 맹인, 스데반, 사도 바울..

나쁜 남자로선 가인, 함, 라반, 강간을 범한 세겜의 아들, 아도니야, 요압, 시므이, 아합, 벨사살, 가룟 유다, 아나니야.

73. 하늘을 두려워하는 아이들로 키워야

안하무인은 두말할 것도 없고 하늘도 두려워하지 않는 세태다.

아이들이 일생을 가장 보람있고 행복하게 살 수 있는 길은 하늘을 두려워하는 데서부터 시작된다고 볼 수 있다.

예수 그리스도의 복음을 듣지 않았던 고대 동양인들조차 하늘 경외하기를 몸에 익혔다.

경천함으로써 애인이 생겨난다.

74. 부모 공경하는 아이들로 키워야

만물에는 질서가 있다. 지금 우리가 쓰고 있는 이런 인터넷 시스템에도 질서가 있다. 이것이 깨지면 아무 것도 될 수 없다.

요즘은 모든 것이 거꾸로 되어 있다.

집안에 아이들과 부모와 할아버지가 계시면 가장 윗사람은 아이들이 된다. 부모는 아이들 중심으로 모든 것을 움직여간다.

어떤 점에서는 이런 것들도 필요하다. 그러나 자기가 세상의 중심이 되어버린 아이들은 착각을 하게 된다.

그는 실제 자신이 세계 속에서 차지하는 위치를 망각하게 되는 것이다.

자기가 어떻게 해서 이 세상에 오게 되었는지, 자기 삶이 어떻게 유지되고 있는 것인지를 알지 못하게 된다.

그래서 그는 오만방자하게 된다.

그 댓가는 뺨을 맞는 일이다. 인생 채찍과 사람 막대기에 의해 고생을 하게 된다.

이런 일을 사전에 방지할 수 있는 백신 프로그램이 바로 어려서부터 윗 분들, 특히 집안의 어른들을 공경하는 훈련을 하게 하는 것이다.

당연히 부모가 솔선 수범해야 한다.

맛있는 것도 부모 먼저 드시게 해야 한다. 먹는 순서, 앉는 위치 등이 조정되어야 한다.

유교는 여러 폐해를 가지고 있었다. 예를 중시해야 하는 것은 당연한데 지나친 허례가 이런 문제를 만든 것이다.

그러나 지금은 그 반대의 폐해, 보다 심각한 폐해를 우리 모두가 사회 내에 만연시켰다.

그것은 무례함이다.

이삭은 아브라함이 자신을 하나님께 바치려 하실 때도 순종하셨다. 예수님도 하나님께 십자가 사역에서 순종하셨다. 요셉은 아버지 야곱에게 순종하는 아들이셨다. 다윗도 아버지께 순종하는 아들이셨다. 야곱은 아버지 이삭의 축복 받는 일을 큰 일로 여기셨다.

하지만 요나단은 아버지 사울 왕에게 순종하시지 않으셨다. 다윗을 죽이라는 아버지의 말씀에 순종하지 않으셨다. 그렇지만 그는 블레셋과의 싸움에서 아버지 사울 왕 옆에서 끝까지 함께 하셨다.

다윗도 사랑했고 아버지 사울 왕께도 효도를 다했다. 아버지의 부당한 명령에까지 순종하는 것은 악이다. 그러나 악한 아버지였지만 그 아버지 옆에서 더 악한 블레셋과의 싸움에 목숨을 다해서 충성하셨다.

하지만 미갈은 아버지의 악한 명령을 따랐다. 다윗을 죽이려는 일에는 불순종했지만, 다른 남자에게 시집 보내버리는 아버지 사울 왕의 명령을 따랐다. 이는 다시 다윗 왕이 하나님의 법궤를 모셔올 때 옷이 벗어지도록 춤추는 모습 앞에서 왕의 권위를 더 소중히 여기는 우를 범하는 모습으로 나타난다.

75. 아이들에겐 매가 필요한가

참 자녀에겐 징계가 있다는 말씀이 있다.
잠언에서도 매로 때리는 것이 아이들에게 유익하다고 말씀하신다.

요즘도 그러한가?

어떤 집에서는 무자비하게 아이들을 두들겨 팬다. 담뱃불로 지지고 때로는 때려 죽이기까지 한다.

어떤 집에서는 결코 매를 들지 않는다. 혼도 내지 않는다. 엘리 집안이 된다.

하나님은 우리를 징계하신다.

때론 말씀으로, 때론 고통스런 채찍으로. 그리고 끝으로 모든 인간은 죽음이라는 최대의 징벌을 받는다. 아담의 후손된 자가 받아야 할 징계로서.

부모는 자녀에게 하나님의 방법을 원용할 필요가 있다.

그러나 그 모든 것에 하나님의 사랑이 있어야 할 것이다.

주님이 십자가에 달리셨듯이 자녀를 위해 그리할 수 있어야 할 것이다. 그런 사랑이 있어야 매를 때리고 징계할 자격도 있는 것이다.

잠언 13장 24절에는 초달을 차마 못하는 자는 그 자식을 미워함이라 자식을 사랑하는 자는 근실히 징계하느니라는 말씀이 있다.

여기에서 초달을 차마 못하는 자의 문자적 의미는 '단련을 위하여 부지런히 살피지 못하는 자'라 한다.

부모는 자식에 대한 플랜을 가지고 적절히 단련시키고 부지런히 살펴야 함을 의미한다고 볼 수 있다.

그 플랜의 기본은 그 자녀가 먼저 그의 나라와 그의 의를 구하게 만드는 것이라고 본다.

76. 수학 교육의 문제

우리나라 초중생의 수학 수준이 세계적으로 우수하다는 평가 결과가 나왔다.

그러나 흥미도에 있어서는 세계 최하위권에 머물고 있다.

최근 서울대생들의 수학 실력도 떨어져 수학 수업에도 지장을 받고 있다는 보고가 있었다. 수능 시험 난이도가 떨어지면서 이런 결과가 나왔다고 한다.

어려서부터 종이 위에서 반복적으로 문제 풀기에 길들여져 있어 창조적, 논리적 수학 학습 능력이 배양되고 있지 못한 데서 오는 결과들이라 볼 수 있다.

적성과 흥미 양자가 다 충족되어야 학습 효과가 제고된다.

부모, 교사 그리고 수학 전문가들이 적극적으로 이 문제에 대해 진지하게 고민해야 하고 대안을 찾아야 한다.

수학은 중요한 학문이다.

이를 무시하기에는 우리의 모든 생활이 이에 밀접하게 관련되어있다.

창조주께서는 대수학자이시다. 수학 능력이 없으셨다면 이 광대한 우주를 창조하시고 운행시켜나가실 수 없으셨을 것이다.

피조물 중에 으뜸인 인간이 수학 능력이 있어야 하는 것은 그래서 당연한 것이다.

어려서부터 일상에서 수학적 사고를 하도록 유도하는 것은 바람직하다.

가급적 수치화해서 질문과 대답을 한다. 시간도 자주 물어 본다. 아이가 숫자로 된 시계보는 법, 바늘로 돌아가는 시계 보는 법도 가르치면서 아이에게 시간을 가끔씩 물으면 아이 는 흥미를 가지고 시계를 보고 답한다. 자신도 보람을 느낀 다.

달력도 보게 한다. 집에 달력을 걸어두고, 음력과 양력을 가르치고 오늘 날짜가 며칠인지도 묻는다.

저울도 두어서 몸무게도 가끔 잰다. 아이의 몸무게만이 아 니라 집안 식구들의 몸무게도 재면서 그 차이, 합계 등도 같 이 재미있게 계산해본다.

각도 재는 것도 좋은 방법이다.

파인만이 학교 수학의 문제점을 지적했는데 자기의 사촌 형 이 과외받는 데서 대수 문제 푸는 것을 보다가 산수로 풀었 는데 이를 비판받았다고 하면서 정해진 룰로만 풀게 만드는, 공식을 외워서 풀게 만드는 학교식 수학법은 아이들을 창의 적으로 만들지 못한다고 비판했다.

파인만은 그 아버지가 백과사전을 읽어주면서 공룡의 크기 가 나오자 자신의 집과 비교해서 이야기해줌으로써 쉽게 이 해할 수 있었다고 말한다.

파인만은 자신이 학교를 다니지 않아서 얻은 이익이 훨씬 크다고 말한다. 파인만의 아버지는 양복 재단사였다. 그는 권위를 아주 싫어했다. 파인만도 노벨물리학상을 받는 것에 대해 그들이 왜 무슨 권위로 이런 상을 주는지 이해가 가지 않는다고 했고, 지식인들이 어렵게 표현하는 방식을 아주 싫어했다.

무엇이든 간단하게 정리해낼 수 없다면 이는 아직 알지 못하는 것이다고 볼 수 있다. 하나님은 우리가 이해할 수 없는 몸을 아주 쉽게 쓰게 만드셨다. 우주도 마찬가지다.

학문이 깊을수록 더욱 간단하게 인터페이스를 만들어낸다.

컴퓨터도 속은 복잡하지만 일반인이 이를 쉽게 사용할 수 있다.

부모가 평소에 취미로 수학 문제를 푸는 것도 아이들에게 아주 유용하다. 로그, 삼각함수, 미분, 적분 문제를 부모가 지속적으로 풀어본다. 중고등학교 때와 달리 또다른 재미가 있다.

과학도 부모가 이렇게 공부해본다. 아이들은 이것을 보고 재미있게 따라 한다.

초등학교 1학년 쯤에 이미 고3 수학까지 미리 사서 아이들 근처에 둔다. 미리 풀어보고 가지고 놀게 해준다.

수학 용어 중 번역에 문제가 있어서 이해하기 힘든 것들이 있다. 예로 함수다. 이는 funtion의 번역어인데 중국어로 函數다. 함은 상자이다. 상자수. 그런데 또 어떻게 보면 상자를 통과해서 나오는 그 상자를 의미한다고도 볼 수 있다. 발음에 따라 그런 단어로 표시했다. 자판기 버튼을 누르면 음료

수가 튀어나오는 것과 같다.

基督이 그리스도를 基理사斯督으로 번역했다가 줄인 것과 비슷하다. 그리스도는 기름부음받은 사람이라는 뜻이다. 기독 엔 이런 의미가 없다.

좀더 나은 번역을 찾아보는 것도 좋은 방법이다. 아니면 아예 원어를 쓰는 것도 좋겠다.

서울에서 전주를 가는 길은 다양한 방법이 존재한다.

77. 어떻게 지혜로운 자녀로 키울 수 있을 것인가

세상은 더욱 복잡해지고 사람들은 갈 길을 알지 못하고 헤매이며 점술가를 찾아다닙니다.

그러나 지혜롭다면 세상 이치를 깨닫고 자기 삶의 가야할 바를 분별하며 험로에서 길을 찾아낼 것입니다.

어떻게 우리의 자녀들을 지혜롭게 키울 수 있을까요?

잠언 19장 20절은 그 방법을 가르쳐줍니다.

'너는 권고를 들으며 훈계를 받으라 그리하면 네가 필경은 지혜롭게 되리라'

즉 권고를 듣고 훈계를 받게 하면 된다고 말씀하고 있습니다.

그러면 어떻게 권고를 들을 수 있고 훈계를 받을 수 있을까요?

인류에게서 오랜 세월을 거쳐 검증된 권고의 말씀을 읽고 공부하고 그것을 묵상하고 깨달은 바를 실천하게 만드는 것입니다.

아이들을 이 공부 저 공부시키고 학원에 보내는 것이 어떤 이유에서 그렇습니까?

학력을 높여 사회에서 좀더 높은 지위와 부를 얻게 해보려는 부모의 마음에서 그렇습니다.

그러나 학력보다 더 소중한 것은 지혜입니다. 지혜는 지식을 습득하는 데서 옵니다.

하지만 모든 지식이 그렇게 만들지는 않습니다.

잠언 19장 27절에 다음과 같은 말씀이 있습니다.

'내 아들아 지식의 말씀에서 떠나게 하는 교훈을 듣지 말찌니라'

세상을 살다보면 많은 사람과 책을 만나게 됩니다. 그들 중에는 자신의 교훈을 전파하는 이들이 있습니다.

그러나 이것들 중에 정의의 길에서 떨어진 것들이 있습니다. 특히 요즘에는 더욱 많습니다.

지식도 분변해야 합니다.

인류의 오랜 세월을 거쳐 검증된 정의에서 동 떨어진 것들은 위험한 지식이라고 볼 수 있습니다.

예를 들어 어떤 사람이 이렇게 말할 수 있습니다.

'사회에서 성공하기 위해서는 적당히 속이고 거짓말도 잘 하고 술도 잘 먹어야 하고 잘 놀아야 한다.'

사람들을 많이 사귀기 위해서는 이 방법이 필요합니다.

그러나 선인들은 이 방법이 틀렸음을 이미 경험으로 알았습니다.

잠언 18장 24절에는 다음과 같은 말씀이 있습니다.

'많은 친구를 얻는 자는 해를 당하게 되거니와 어떤 친구는 형제보다 친밀하니라'

많은 친구가 중요한 것이 아니라 진정한 친구가 중요한 것이며 이 친구는 정도에서만 얻을 수 있음을 알 수 있습니다.

이제 우리의 자녀를 권고와 훈계의 말씀 가운데서 키운다면 그들은 온갖 역경을 이겨내고 이 세상을 보다 아름답고 온전한 곳으로 만들어가는 일군들이 되어세상을 밝게 만들어줄 것이며 우리에게 기쁨을 줄 것입니다.

78. 하루에 세 번 성경 읽기

루소도 종교 교육을 강조했는데 이는 성경 교육이라 볼 수 있다. 그는 하나님 앞에서 참회록도 썼다.

우리는 하루에 보통 세 번 밥을 먹는다. 그리고 중간 중간 간식도 먹고 물도 마신다.

사람이 떡으로만 살 것이 아니고 하나님 입으로 나오는 모든 말씀으로 산다고 하셨다.

다니엘은 하루에 세 번 기도드리셨다.

나는 아침에 일어나자 한 번에 한 장에서 두 장 정도 성경을 읽고, 때론 화장실에서 읽을 때도 많다.

점심 먹기 전에 또 그렇게 읽고, 저녁 먹기 전에 읽고 자기 전에 읽는다.

이렇게 오랫동안 해왔다. 군대에서도 포켓 미니 성경을 하사 한 분이 주셔서 가슴에 꽂고 다니면서 5분간 휴식할 때마다 읽었다. 다른 전우들이 담배를 필 때 나는 성경을 읽고 기쁨과 평안과 쉼을 얻었다. 그 때 신약과 잠언 시편이 있는 성경이었는데 참으로 고마웠다

이런 습관을 통해 성경 통독을 100번 넘게 했다. 티끌 모아 태산이다. 하루에 세번 씩만 읽어도 일년에 일독을 한다. 성경 전체가 1000 chapter 쯤 되기 때문이다.

동양의 선비들도 일일삼성했다. 경전을 끊임없이 읊조리며 소리내어 읽었다.

평생을 지속적으로 이렇게 한다면 자신을 지켜나갈 수 있다. 우리는 끊임없이 흔들린다. 그렇기에 하루에 세 번 정도씩 잡아준다면 크게 어긋나지 않는다. 내 삶에서 많이 무너진 시기는 이 성경 읽기도 무너진 시기였다.

아이들에게 이런 습관을 심어줄 수 있다면 우리가 죽은 후에도 아이들은 제대로 이 세상을 살다가 우리에게로 올 것이다.

일본의 한 여류 작가 미우라 아야코는 어떤 사람이 삼년 이상 좋은 습관을 유지한다면 그 사람은 일생을 통해 어떤 일

을 해낼 수 있는 사람이라고 했다.

이렇게 성경을 읽어가면, 5세에 시작한다고 볼 때 85세까지 거의 기본적으로 80독을 하게 된다. 토요일이나 주일에는 더 많이 읽으면 100독은 하고 주님께로 돌아가게 된다.

사람은 생각으로 움직이고 결정하고 선택하고 에너지와 자산을 사용하고 시간을 들인다. 이 생각은 어디에서 오는가? 읽거나 들은 데서 온다. 내가 읽은 책, 내가 들은 말에서 내 생각이 시작된다.

내 주변 사람이 한 말, 내 주변에서 본 것들, 미디어에서 본 것들이 내 생각을 장악하면 위험해지기 시작한다. 그것들은 검증된 것들이 아니기 때문이다.

마치 인스턴트 식품과 같은 생각들이다. 깊은 사고에서 나온 것들도 있지만 천박한 것들도 많고 잘못된 지식도 많다. 거기에 기반하여 움직이고 생각하면 필히 망하게 된다.

어리석은 친구의 조언은 나를 파멸로 이끈다. 광고를 보고 산 가스기 살균제를 아무런 의심없이 사용하다가 어떤 피해를 우리는 입었는가!

문재인 대통령이 집값을 잡을 수 있다고 발표한 것을 믿은 무주택 서민들이 어떤 피해를 입었는가!

그래서 예수님은 바리새인들의 누룩을 주의하라 하셨다. 목사의 설교를 성경보다 더 많이 듣는 신자는 위험하다. 성경 자체가 설교다. 그런데 성경 저자는 공인된 설교자인데 내가 다니는 교회의 설교자는 하나님께서 공인하신 사람인지 아닌지 우리는 분별하기가 힘들다.

이 것이 다 분별되어 있다면 이 땅에 이단은 없을 것이다.

그래서 오랜 검증을 통해서 살아남은 설교자들의 글을 읽어야 한다. 그것이 성경이다.

김치는 살아남은 식품이다. 오늘 어디서 주워온 버섯을 먹는 것은 위험하다. 복어도 조리법이 있고 조리 자격증이 있다. 재료도 선별되어야 한다.

79. 화초 물주기

이전에는 집 마당의 나무나 채소 관리에도 아이들이 참여했지만, 지금은 대부분 이런 환경을 가지지 못하니 집에서도 화초 등을 가꾸고 이런 생명체 관리를 아이들이 직접하도록 하면 인성과 생물 이해에 큰 도움이 되리라고 본다.

여기에서 생기는 해충도 어떻게 친환경적으로 제거할 수 있는지에 대해서도 같이 고민하면 좋다.

약간의 소금물을 타서 화초에 주면 해충도 잡을 수 있다고 하니 이런 방법도 좋다.

80. 온돌 기반 상태의 바닥제의 문제

아토피로 고생하는 아이들이 많다. 이전에 비해서 우리 생활의 거의 모든 부분에서 화학 제품이 사용되어지기 때문에 더욱 그렇다 본다.

서양과 달리 우리는 온돌 문화이고 사시사철이 있어서 특히 겨울철 난방과 화학물질 첨가 바닥제의 문제는 심각하다.

이전에는 온돌을 깔고 그 위에 진흙으로 마무리하고 한지 등의 종이 장판으로 마지막 마무리가 이루어지기 때문에 큰 오염 물질이 없었다. 연탄으로 바뀌었을 때는 연탄 가스가 문제가 되긴 했다.

그러나 요즘은 가스보일러나 열난방으로 교체되면서도 여전히 겨울철에 바닥재에 열이 직접 공급되기 때문에 발생되는 화학 물질의 피해는 크다.

합성목을 여러 첨가물과 섞어 만든 재료나 비닐 장판이나 다 문제를 유발한다. 기업이나 정부에서도 친환경 제품 생산을 위한 노력을 기울여야 한다.

영유아는 더욱더 이런 제품을 상태에 따른 피해가 직접적이다. 침대를 쓰지 않는 경우는 더욱 위험하다. 바닥에서 올라오는 화학물질 기화에 바로 노출되기 때문이다.

이런 물질은 요가매트나 침대부속물들에서도 많이 사용된다. 과학기술의 발달에 의한 생산력 증대가 인류를 위기로 몰아넣고 있는데 이는 자본주의뿐만 아니라 사회주의도 마찬가지다. 서로 경쟁하면서 온 인류가 위험한 방향으로 가고 있다.

81. 치아 건강 그리고 생활용품

치아건강은 오복 중의 하나라고 하셨다. 어려서부터 치아 관리가 합리적으로 되어야 한다.

나는 어렸을 때 이가 아주 좋았다. 충치 하나 없이 대학 입학할 때까지 좋았다. 그런데 어느 순간부터 급격히 나빠졌다. 원인을 생각해보니 음료와 양치 그리고 식품의 문제였다.

모유를 가급적 최대한 오랫동안 수유하는 것이 좋다. 신께서 아이들 주라시고 모유를 주셨으니 최대한 수유하면 분유 등을 먹었을 때보다 아이들의 이와 입속 건강에 좋으리라고 본다.

자기가 나온 모체에서 먹는 모유가 우유나 분유보다 더 건강에 좋으리라는 것은 상식이다. 이는 모체가 건강할 때 그러할 것이다.

시중에서 파는 상당수의 어린이 음료들에 당분과 식품 첨가물이 들어가 있어서 이를 상하게 하고 건강에도 좋지 않고 잘못된 맛에 길들여지게 한다.

가급적 이런 것을 피하고 정 마셔야 한다면 우유로 대체하는 것이 좋다고 본다. 그리고 과일 주스도 포장된 것은 피하고 집에서 직접 갈아주는 것이 좋다.

나는 치약 등 세제 등을 제조 판매하는 화학회사를 다닌 적이 있는데 그 때 이후로 치약을 과도하게 사용했다. 치약 광고에서도 치솔에 가득히 치약을 바른다.

치약은 계면 활성제와 미세플라스틱 첨가물들이 들어간다. 죽염치약을 파는 것을 보면서 죽염을 쓰면 더 좋겠다는 생각이 들었다.

이 상태가 갈수록 나빠졌는데, 아예 치약 쓰기를 멈추고 죽염으로 바꾸었다. 언젠가 식품 코너에서 생선들을 보았는데 소금을 뿌려두어서 상하지 않게 하고 또 젓갈들은 소금으로 인해 발효가 되는 것을 보고서 죽염을 써서 이를 닦으면 입안도 저런 효과를 거두겠다는 생각이 들었다. 그 후로 잇몸 상태도 너무 좋아졌다.

아이들도 어린이집이나 유치원에도 죽염을 통에 넣어서 보내주면 된다. 많은 아이들이 이렇게 죽염이나 좋은 소금을 써서 잇몸과 치아 건강을 지키길 바란다.

치솔도 소금으로 쓸 경우에는 덜 오염이 된다. 치솔에 남은 소금기가 도와주기 때문이다. 그런데 치약을 쓸 경우에는 입안도 최소 7번을 행구어내라고 하는데 계면활성제와 화학물질 등 때문이다.

소금으로 양치하면 3-4번이면 족하다. 물 낭비도 줄이고 환경 오염도 방지한다. 하수가 깨끗해지면 연안 바다도 오염이 줄게 되고 이는 다시 신선한 생선과 좋은 소금으로 돌아오게 된다.

자본주의 국가에서 기업이 상품을 생산하는 이유가 사회에 대한 기여만으로 된다면 아주 좋은 일이다. 그러나 실상은 그 기업은 투자를 유치해야 하고 주가를 상향시켜야 하기에 끊임없이 과잉 생산하고 과잉 판매해서 과잉 소비하게 만든다.

내가 다녔던 화학 회사는 내가 퇴사한 후 주가가 100배 정도 올랐다. 이 사이에 정말 소비되어야 했던 상품을 넘어서 과도하게 생산되고 소비되고 폐기된 상품을 추적해보면 경악을 금치 못할 것이다.

가습기 살균제 사건에서 보듯이 우리는 너무도 쉽게 화학제품을 사용하고 그로 인한 큰 피해를 보게 된다.

집에서 물을 끓이든지, 젖은 빨래 등을 통해서 습도 조절을 할 수 있음에도 불구하고 쉽게 가습기를 사용하고 거기에 살균제를 집어넣었다가 균만이 아니라 우리의 폐도 망가뜨리는 실수를 범하게 되었다.

화학 제품을 일반 시민들이 다 따져볼 수 없다. 그러기에 정부의 태도가 중요하다. 철저히 검증해야 한다.

일반 국민들도 최대한 화학제품 사용을 줄이면서 전통적이고 합리적인 생활 방법을 찾아보아야 한다. 그래야만 화학제품 기반 생활용품 피해로부터 우리를 보호하게 된다.

돈을 벌기 위해서라면 어떤 짓도 감행하는 천민자본주의가 언제나 우리 앞에 또아리를 튼 뱀처럼 나타날 수 있기 때문이다.

그 큰 피해는 아이들에게서부터 나타난다. 아이들에게 발라

주는 로션, 선크림, 비누, 샴푸 등 모든 것을 의심해보아야
한다.

아이들이 유치에서 영구치로 바뀔 때 조금 흔들린다고 너무
일찍 뽑는 것은 좋치 않다고 본다. 스스로 빠질 때까지 기다
려본 적도 있다. 그래도 새로운 이가 그 위치를 잘 잡고 나
왔다.

82. 책꽂이의 책들은 글자와 생각이다.

아이가 어려서 글을 읽지 못할 때부터 집에 다양한 좋은 책
들이 책꽂이에 꽂혀 있어야 한다.

아이들은 그 책들의 제목을 보면서 자연스럽게 글자도 읽혀
가고 그 제목들이 들어오면서 다양한 주제에 대한 생각들을
자연스럽게 해가며 더 나아가서 점차 자기가 재미있게 느낄
만한 책들을 꺼내보게 된다.

부모가 항상 그 책들을 꺼내서 읽는 모습을 보게 되면 아이
들도 처음엔 놀이로 책보기 활동을 하다가 자신들도 재밌는
책들을 찾아서 읽게 된다.

이 과정에서 부모나 언니 오빠기 책을 읽어주는 것도 아주
좋은 방법이다.

그리고 부모가 쓴 책이 책장에 꽂혀 있고, 부모가 책을 쓰
는 것을 보면 더욱더 바람직하다.

부모가 자기 분야의 글을 지속적으로 쓰다가 책을 내면 된다. 요즘은 다양한 출판 매체가 발달되어 있어서 비용 부담 없이 유용하다. 전자 출판도 좋다.

83. 악기와 춤과 찬양과 노래

어려서부터 다양한 악기로 찬양하고 연주하고 노래하고 춤추는 일에 노출시키는 것이 좋다.

가정 형편에 따라 할 수 없는 경우들이 많은데, 어린이집이나 유치원, 학교들에서도 제공되어야 한다.

온 가족이 이런 활동을 자연스럽게 해야 한다. 특히 아빠가 같이 찬양하고 노래하고 그 음들에 맞춰 춤추는 행위는 아름다운 교육이 된다.

다윗 왕이 하나님 앞에서 기쁘게 춤출 때 하나님이 얼마나 기뻐하셨겠는가! 아이들은 장기 자랑을 하고 싶어한다. 마음껏 자신의 장기를 자랑하게 해주어야 한다.

84. 밥 먹기와 기도

밥상머리 교육은 아주 중요하다.

밥상을 차릴 때 같이 돕는 것도 중요하다. 그리고 이 시간을 이용해서 기도 시간을 가진다. 때론 부모가 기도하기도

하고, 가끔씩 아이들이 대표로 감사 기도하게 하는 것도 좋다.

음식이 오기까지 하나님께서 어떻게 도우셨는지, 또 사람들의 수고가 어떻게 첨가되었는지를 어려서부터 알아야 한다. 오염되지 않은 음식물, 신선한 재료 등의 중요성을 보면서 아이들이 환경과 농업, 식품에 대한 다양한 인식을 가지게 된다.

어른이 먼저 입게 음식을 가져간 후 아이도 숟가락을 들게 하는 교육이 필요하다. 질서를 가져야 한다.

85. 무술과 군대

딸들에게도 무술을 가르치면 좋다. 아빠나 엄마가 직접 무술을 배워서 아이와 함께 수련하면 좋다.

다양한 자세로 유연성 연습을 하면서 태권도 발차기와 유도, 복싱 등을 가르치면 좋다.

딸은 이런 무술을 아빠나 엄마에게서 배우는 것이 좋다. 다른 남자에게서 배우는 것은 바람직하지 않다.

루소가 여자 아이를 남자 선생에게 과외 받게 하는 것은 바람직하지 않다고 했는데 맞는 말이다. 우리 말에도 남녀칠세부동석이라 하셨는데 일면 맞는 측면들이 있다.

여자 아이들도 군대 의무 복무도 필요하다고 본다. 전쟁이 일어나면 가장 큰 피해를 보는 것이 여자와 아이들이다.

위안부 할머니들의 고통을 우리는 보았다. 여자도 스스로를 지킬 수 있어야 한다. 무기를 사용할 줄 알아야 한다.

독도법도 배우고 각종 무기 체계에 대한 사전 교육을 아이들에게 해줄 필요가 있다.

군대는 더욱더 민주화되어야 하고, 상호 존중되어야 한다. 계급 체계도 지금의 사병 간부로 나뉘는 방식을 지양해야 한다.

모두다 사병으로 출발해야 한다. 사병 복무 기간이 끝나면 그 중에서 하사관을 선발하고, 다시 장교를 선발해야 한다.

86. 아빠의 집안 일과 깨끗한 화장실

가족 여럿이 사용하고 또 습기가 많기에 화장실은 잘 관리해야 한다. 더러운 것을 배출하는 곳일수록 더 잘 관리해야 한다.

그렇다고 락스를 자주 쓰면 금속에도 녹이 슬고 환경에도 좋지 않다. 배출된 락스는 다시 생선과 수도물 등을 통해서 우리 입으로 들어온다.

찬물로라도 자주 솔 청소를 해야 한다.

사용 후에 변기를 솔로 가끔씩 청소하면 좋다. 여자는 생리 기간에 변기를 잘 살펴서 피가 묻지 않게 잘 관리해야 한다.

치솔은 가급적 화장실에 두지 말고 거실 등지에 환기가 잘 되고 햇볕이 드는 곳에 두어야 한다. 그 습기로 인해서 치솔에 세균이 번식하기 때문이다.

또 죽염 등 미세한 소금을 이용해서 이를 닦으면 치약을 사용하는 것보다 좋다. 어려서부터 이렇게 소금을 활용하여 이를 닦으면 치약에서 나오는 미세 플라스틱에서도 보호받고 계면활성제나 화학 물질이 입을 통해 인체로 들어오는 것도 막아낸다. 당연히 환경 보호, 수질 보호에도 도움이 된다. 그리고 소금은 입 안에 있으면 부패를 막아준다. 생선에 소금을 뿌려두면 부패가 막아지듯이 소금으로 이를 닦으면 입속의 부패가 막아지고 설령 입속에 음식물 찌꺼기가 남아있어도 발효 쪽으로 가게 된다.

아빠가 집안 이를 하는 모습을 보이는 것은 딸들에게 아주 유익하다.

87. 온 집에 성경 펼쳐두기

침대에도, 책상에도 화장실에도 다양한 종류의 다양한 언어의 성경을 읽고 그대로 펼쳐두면 아이들이 자연스럽게 성경을 접하게 된다.

6 오늘 내가 네게 명하는 이 말씀을 너는 마음에 새기고

7 네 자녀에게 부지런히 가르치며 집에 앉았을 때에든지 길

을 갈 때에든지 누워 있을 때에든지 일어날 때에든지 이 말씀을 강론할 것이며

8 너는 또 그것을 네 손목에 매어 기호를 삼으며 네 미간에 붙여 표로 삼고

9 또 네 집 문설주와 바깥 문에 기록할지니라(신명기 6장)

각종 좋은 주석이 책장에 있고 또 부모부터 이를 찾아보는 모습들을 아이들이 보면서 자라게 되면 아이들도 따라서 이를 실천하게 된다.

깊이 있는 사고를 어려서부터 제대로 하게 되면 많은 문제에 봉착할 때 지혜의 답을 찾게 되고 아이들은 평안한 삶을 살게 된다.

천장과 벽면에도 성경 문구를 쓰고 아이들도 직접 쓰게 하면 좋다.

성경엔 과학의 기초 등, 생물학, 역사, 정치, 법, 사랑, 인간 사회의 갈등, 남녀 관계 등 다양한 분야에 대한 기초 지식이 많다. 이를 토대로 아이들과 자연스럽게 침대에서, 식사하면서 일상에서 대화할 수 있다.

또 페이지 표시가 되어 있어 이를 찾는 과정에 자연스럽게 숫자를 익힐 수도 있다. 아이에게 몇 페이지를 찾아보라고 하면 되고, 몇 장, 몇 절을 같이 찾아보자고 하는 과정에 5-6세의 아이들이 숫자를 익힐 수 있게 된다.

또 다양한 단어를 익히게 된다. 영어 성경, 중국어 성경까지 보태지면 더욱 좋다.

그리고 구약의 히브리어와 신약의 헬라어를 조금씩 가르쳐 가도 좋다.

88. 코제트와 팡틴의 보호

미혼모로 보호받지 못한 팡틴은 여자들의 시기로 직업도 잃고 창녀로 전락하게 된다.

최근 아일랜드에서 미혼모들의 자녀들이 살해되거나 방치되어 일찍 죽게 된 사례가 많았던 것으로 드러났다. 카톨릭 시설들에서 벌어진 일이다.

이런 사람들 중 하나인 팡틴과 그 자녀 코제트를 장발장이 도운 내용이 빅토르 위고의 소설 레미제라블에 씌어 있다.

요즘도 이런 사례가 엄청나게 많다.

이들을 돕고, 그 자녀들을 잘 교육시켜야 한다. 아일랜드의 전 부총리도 이런 미혼모의 아들이었다고 고백했다.

충분히 훌륭하게 자랄 수 있다.

입다는 기생이자 첩의 소생이었지만 이스라엘 구원의 사사가 된다. 이 땅에 태어난 모든 아이는 귀하다.

솔로몬이 일천 번제를 드리고 하나님께 지혜를 받아 처음 맡은 재판이 두 창녀의 아이에 관한 사항이었다. 창녀의 아들조차 하나님께서는 귀하게 여기신다.

열왕기서 3장에 솔로몬이 지혜를 얻게 되는 장면이 나온다.

1 솔로몬이 애굽의 왕 바로와 더불어 혼인 관계를 맺어 그의 딸을 맞이하고 다윗 성에 데려다가 두고 자기의 왕궁과 여호와의 성전과 예루살렘 주위의 성의 공사가 끝나기를 기다리니라

2 그 때까지 여호와의 이름을 위하여 성전을 아직 건축하지 아니하였으므로 백성들이 1)산당에서 제사하며

3 솔로몬이 여호와를 사랑하고 그의 아버지 다윗의 법도를 행하였으나 산당에서 제사하며 분향하더라

4 이에 왕이 제사하러 기브온으로 가니 거기는 산당이 큼이라 솔로몬이 그 제단에 일천 번제를 드렸더니

5 기브온에서 밤에 여호와께서 솔로몬의 꿈에 나타나시니라 하나님이 이르시되 내가 네게 무엇을 줄꼬 너는 구하라

6 솔로몬이 이르되 주의 종 내 아버지 다윗이 성실과 공의와 정직한 마음으로 주와 함께 주 앞에서 행하므로 주께서 그에게 큰 은혜를 베푸셨고 주께서 또 그를 위하여 이 큰 은혜를 항상 주사 오늘과 같이 그의 자리에 앉을 아들을 그에게 주셨나이다

7 나의 하나님 여호와여 주께서 종으로 종의 아버지 다윗을 대신하여 왕이 되게 하셨사오나 종은 작은 아이라 출입할 줄을 알지 못하고

8 주께서 택하신 백성 가운데 있나이다 그들은 큰 백성이라 수효가 많아서 셀 수도 없고 기록할 수도 없사오니

9 누가 주의 이 많은 백성을 재판할 수 있사오리이까 듣는

마음을 종에게 주사 주의 백성을 재판하여 선악을 분별하게
하옵소서

10 솔로몬이 이것을 구하매 그 말씀이 주의 마음에 든지라

11 이에 하나님이 그에게 이르시되 네가 이것을 구하도다
자기를 위하여 장수하기를 구하지 아니하며 부도 구하지 아
니하며 자기 원수의 생명을 멸하기도 구하지 아니하고 오직
송사를 듣고 분별하는 지혜를 구하였으니

12 내가 네 말대로 하여 네게 지혜롭고 총명한 마음을 주노
니 네 앞에도 너와 같은 자가 없었거니와 네 뒤에도 너와 같
은 자가 일어남이 없으리라

13 내가 또 네가 구하지 아니한 부귀와 영광도 네게 주노니
네 평생에 왕들 중에 너와 같은 자가 없을 것이라

14 네가 만일 네 아버지 다윗이 행함 같이 내 길로 행하며
내 법도와 명령을 지키면 내가 또 네 날을 길게 하리라

15 솔로몬이 깨어 보니 꿈이더라 이에 예루살렘에 이르러
여호와의 언약궤 앞에 서서 번제와 감사의 제물을 드리고 모
든 신하들을 위하여 잔치하였더라

　이렇게 지혜를 얻은 솔로몬에게 첫 재판이 주어지는데 그
사안이 놀랍다. 국가의 중대지사도 아니고 일반인들도 아니
었다.

　창기들이 그의 앞에 나왔다. 거룩한 하나님의 나라에서 창
기들이 재판을 신청하면 거절될 수도 있었다. 그러나 솔로몬
은 그 첫 재판으로 창기의 재판장이 되었다.

여기에서 바로 하나님의 지혜가 나타난다. 하나님은 이 모든 과정을 지켜보셨다.

하나님께서 창기의 자녀, 창기의 원통함에도 얼마나 깊이 응답하시는지를 잘 알게 된다. 왜냐하면 솔로몬이 지혜를 구한 이유가 바로 백성의 여러 문제를 해결할 기초였기 때문이다.

즉 이 창기들이 솔로몬이 염려했던 백성들이었고 가장 우선되는 여인들이었다. 당시에 일반 여성이 얼마나 많았겠는가! 그런데 창기였다.

예수님도 이 땅에 오셔서 창녀를 구해주셨고, 그들의 친구가 되어주셨다.

솔로몬의 재판

16 그 때에 창기 두 여자가 왕에게 와서 그 앞에 서며

17 한 여자는 말하되 내 주여 나와 이 여자가 한집에서 사는데 내가 그와 함께 집에 있으며 해산하였더니

18 내가 해산한 지 사흘 만에 이 여자도 해산하고 우리가 함께 있었고 우리 둘 외에는 집에 다른 사람이 없었나이다

19 그런데 밤에 저 여자가 그의 아들 위에 누우므로 그의 아들이 죽으니

20 그가 밤중에 일어나서 이 여종 내가 잠든 사이에 내 아들을 내 곁에서 가져다가 자기의 품에 누이고 자기의 죽은 아들을 내 품에 뉘었나이다

21 아침에 내가 내 아들을 젖 먹이려고 일어나 본즉 죽었기

로 내가 아침에 자세히 보니 내가 낳은 아들이 아니더이다 하매

22 다른 여자는 이르되 아니라 산 것은 내 아들이요 죽은 것은 네 아들이라 하고 이 여자는 이르되 아니라 죽은 것이 네 아들이요 산 것이 내 아들이라 하며 왕 앞에서 그와 같이 쟁론하는지라

23 왕이 이르되 이 여자는 말하기를 산 것은 내 아들이요 죽은 것은 네 아들이라 하고 저 여자는 말하기를 아니라 죽은 것이 네 아들이요 산 것이 내 아들이라 하는도다 하고

24 또 이르되 칼을 내게로 가져오라 하니 칼을 왕 앞으로 가져온지라

25 왕이 이르되 산 아이를 둘로 나누어 반은 이 여자에게 주고 반은 저 여자에게 주라

26 그 산 아들의 어머니 되는 여자가 그 아들을 위하여 마음이 불붙는 것 같아서 왕께 아뢰어 청하건대 내 주여 산 아이를 그에게 주시고 아무쪼록 죽이지 마옵소서 하되 다른 여자는 말하기를 내 것도 되게 말고 네 것도 되게 말고 나누게 하라 하는지라

27 왕이 대답하여 이르되 산 아이를 저 여자에게 주고 결코 죽이지 말라 저가 그의 어머니이니라 하매

28 온 이스라엘이 왕이 심리하여 판결함을 듣고 왕을 두려워하였으니 이는 하나님의 지혜가 그의 속에 있어 판결함을 봄이더라

89. 어린 아기에게 모자를 씌우는 것이 좋지 않다.

돌아다니다 보면 어린 아기들에게 예쁜 모자를 씌워다니는 젊은 엄마들을 자주보게 된다.

특히 여자 아이들에게 이런 모자를 씌우는 경우들이 있는데 너무 조이지 않게 씌여야 한다.

추위를 막기 위해 그런 것이라면 몰라도 이는 문제가 있을 수 있다.

루소는 에밀에서 어린 아기에게 모자를 씌우는 것이 좋지 않다고 하였다.

뇌가 계속적으로 성장을 하여야 하는데 머리에 꼭 죄는 모자를 씌우면 두부 발달에 지장을 가져온다는 뜻이다.

옷들도 너무 꼭 조이는 옷은 좋지 않다. 또 삔짝이 등이 너무 들어간 옷도 좋지 않다. 유해 색소가 많은 화려한 옷보다는 면 등으로 된 저렴하고 단출한 옷이 좋다.

부모도 그렇게 옷을 입어야 아이들도 따라 한다.

정약용 선생은 수령이 떨어진 옷을 잘 꿰매어서 깨끗하게 빨아입고 업무를 보면 백성들이 본으로 삼을 것이라고 하셨는데 우리의 일상도 이렇게 하면 좋다.

환경 훼손을 최소화한 재료로 만든 옷이나 신발 등은 부모가 솔선수범해야 한다.

90. 조기 교육 논쟁

영어 조기 교육을 해야 한다 안해야 한다, 여러 학원을 어릴 적에 보내야 한다 보내지 않아야 한다 등으로 논란이 되는 경우가 있다.

교육은 인간 세계에 있어서 필수다. 무엇이든지 그냥 놓아두어서 잘 되는 것은 없다. 관찰하고 인도하는 것이 필요하다.

동물의 세계에서도 어미가 새끼에게 생존을 위한 교육을 나면서부터 제공하고 있음을 보게 된다.

그렇다면 문제는 필요한 교육, 적정한 교육을 어떻게 제공하느냐다.

즉 조기 교육을 해야 한다 안해야 한다가 아니라 어떤 교육을 어떻게 함으로써 생존과 봉사에 필요한 교육을 제공할 것인가가 고민되어야 한다.

교육은 태어나기 전부터 태교에서부터 시작되어 죽음에 이르기까지 계속된다. 따라서 조기라는 말은 부적절하다고 볼 수 있다.

사람마다 다르며 그 달란트와 소명마다 다른 교육이 각 시기에 따라 제공되어야 하는 것이다.

따라서 획일적으로 조기 교육이 필요하다 아니다는 논쟁은 우문에 우답인 것이다.

이스라엘에는 다양한 언어권에 사는 친척들이 많아 모이면 다양한 언어를 씀으로써 아이들이 어려서부터 이런 다양한 언어에 자연스럽게 노출되면서 언어를 재미로 호기심으로 배워간다.

이렇게 가르쳐진다면 이는 아무런 문제가 없다.

한국인 남편과 대만인 부인이 학생 시절 영국에서 만나 사귀고 결혼하게 되어 아이를 낳고, 이 아이에게 남편은 한국어로 부인은 대만어로 그리고 남편과 아내는 영어로 의사 소통하는 경우가 있다.

이 아이는 점차 친가에서는 한국어로, 외가에서는 대만어로 소통할 수 있게 되었다고 한다. 아주 바람직한 3개 국어 교육 방식이다.

91. 모래 알 교육, 구조물 교육

우리 교육의 맹점 중 하나가 모래알 모으기 형이라는 데 있다.

여러 백과 사전적 지식을 입력시키고 얼마나 많이 외웠는지 확인하는 것이 시험 방식이다.

따라서 이 교육에 오랫동안 노출되다보면 삶에서 맞게 되는 문제 해결을 위한 구조적 지식을 획득하는 데 실패할 가능성이 많다.

삶의 문제는 시험 답안처럼 모래알 형식으로 다가오는 것이 아니라 복합적이며 구조적이고 역사적 연원 가운데 존재하는 것이기 때문이다.

학교 교육을 통해 배우는 모든 것이 무용한 것은 아니다. 기본 지식이 습득되지 않으면 구조 교육도 불가능하기 때문이다.

그러나 파편식 지식 습득에 치중되어 있는 것이 문제다.

특히 인문 사회적 지식 습득은 구조를 형성하는 방식이 되어야 한다.

이를 위해 도움이 되는 것은 하나의 목적을 가지고 씌여진 책들을 통채로 읽는 방법이다.

고전 저작물이나 논문 형식의 글들이 도움이 된다.

이런 글에 자주 접하면서 자기 나름의 구조를 키워가도록 도와야 하고, 시험도 그런 선에서 치뤄져야 한다.

92. 진리 탐구

교육의 목적은 진리 탐구다. 그럼 진리는 무엇인가? 세상의 많은 학자들과 깨달음을 가졌다고 하는 사람들이 진리에 대해 이야기한다.

이 중에서 진정한 깨달음과 진리를 찾아내고 그 속에서 살아가는 삶이 진리에 입각한 삶이다.

대한민국의 많은 부모들이 자녀를 서울대에 보내고 싶어한다. 서울대 교훈이 "진리는 나의 빛"이다.

예수님도 진리에 대해 말씀하셨다.

예수께서 자기를 믿은 유대인들에게 이르시되 너희가 내 말에 거하면 참 내 제자가 되고 진리를 알지니 진리가 너희를 자유케 하리라(요8:31-32)

이 말씀을 하시자 사람들이 다시 예수님께 질문한다.

33 그들이 대답하되 우리가 아브라함의 자손이라 남의 종이 된 적이 없거늘 어찌하여 우리가 자유롭게 되리라 하느냐

34 예수께서 대답하시되 진실로 진실로 너희에게 이르노니 죄를 범하는 자마다 죄의 종이라

35 종은 영원히 집에 거하지 못하되 아들은 영원히 거하나니

36 그러므로 아들이 너희를 자유롭게 하면 너희가 참으로 자유로우리라

이 때 예수님은 진리와 자유와 죄의 문제가 얽혀 있음을 말씀하신다. 진리를 알지 못하고서 죄를 짓고 죄를 지으면 죄의 종이 되어서 자유를 상실하게 되는 과정을 말씀하신다.

조문도하면 석사가의 라는 동양의 고전의 한 구절이 있다. 아침에 도를 깨달으면 저녁에 죽어도 좋다는 이야기다. 이 정도로 동양에서도 진리를 깨닫기를 원했다.

예수님의 말씀에서처럼 죄를 깨닫고, 무엇이 죄인지를 깨닫고 그 죄에서 어떻게 벗어날지를 알게 되는데 이 때 진리가 필요한 것이다. 그 진리가 바로 예수님의 말씀에 거하는 것인데 이는 묵상과 깨달음 그리고 은혜와 실천을 통해 얻어진다.

교육의 근본적 목적은 직업 교육, 먹고 살기 위한 교육이 아니라 진리를 깨닫게 하는 교육이다.

우리 삶은 무엇이고, 어떻게 살아야 하고, 무엇을 위해 살아야 하는지를 깨닫지 못한 가운데, 직업 교육과 수학 영어를 배운들 그것이 생명이 될 수 없고 행복으로 이끌어 갈 수도 없다.

93. 인류 역사는 하나님의 인간에 대한 교육의 역사

 인간사에 벌어진 무수한 일들은 하나님께서 인류에게 자신의 뜻과 진리를 가르치시는 교육의 역사라고 할 수 있다.

 그러나 여전히 이 땅에서 우리는 그 진리를 깨닫지 못하고 있다. 많은 나라들이 아예 하나님을 대적하고 있다.
 성경을 읽어도 진리를 깨닫지 못하는 사람이 많겠지만, 성경을 읽지 않고 진리를 깨달은 사람은 한 사람도 없다.
 따라서 교육에 있어서 성경 묵상은 필수다.
1 이는 곧 너희의 하나님 여호와께서 너희에게 가르치라고 명하신 명령과 규례와 법도라 너희가 건너가서 차지할 땅에서 행할 것이니
2 곧 너와 네 아들과 네 손자들이 평생에 네 하나님 여호와를 경외하며 내가 너희에게 명한 그 모든 규례와 명령을 지키게 하기 위한 것이며 또 네 날을 장구하게 하기 위한 것이라
3 이스라엘아 듣고 삼가 그것을 행하라 그리하면 네가 복을 받고 네 조상들의 하나님 여호와께서 네게 허락하심 같이 젖과 꿀이 흐르는 땅에서 네가 크게 번성하리라
4 이스라엘아 들으라 우리 하나님 여호와는 오직 유일한 여호와이시니

5 너는 마음을 다하고 뜻을 다하고 힘을 다하여 네 하나님 여호와를 사랑하라

6 오늘 내가 네게 명하는 이 말씀을 너는 마음에 새기고

7 네 자녀에게 부지런히 가르치며 집에 앉았을 때에든지 길을 갈 때에든지 누워 있을 때에든지 일어날 때에든지 이 말씀을 강론할 것이며

8 너는 또 그것을 네 손목에 매어 기호를 삼으며 네 미간에 붙여 표로 삼고

9 또 네 집 문설주와 바깥 문에 기록할지니라(신명기 6장)

 이는 여러 차례 성경에서도 강조되는 내용이다. 신약에서도 사도 바울이 디모데에게 성경과 교육과의 관계에 대해 말씀하셨다.

13 악한 사람들과 속이는 자들은 더욱 악하여져서 속이기도 하고 속기도 하나니

14 그러나 너는 배우고 확신한 일에 거하라 너는 네가 누구에게서 배운 것을 알며

15 또 어려서부터 성경을 알았나니 성경은 능히 너로 하여금 그리스도 예수 안에 있는 믿음으로 말미암아 구원에 이르는 지혜가 있게 하느니라

16 모든 성경은 하나님의 1)감동으로 된 것으로 교훈과 책망과 바르게 함과 의로 2)교육하기에 유익하니

17 이는 하나님의 사람으로 온전하게 하며 모든 선한 일을 행할 능력을 갖추게 하려 함이라(디모데후서 3장)

왕들도 필수 준수 사항이 성경을 읽는 일이었다.

그가 왕위에 오르거든 레위 사람 제사장 앞에 보관한 이 율법서를 등사하여 평생에 자기 옆에 두고 읽어서 그 하나님 여호와 경외하기를 배우며 이 율법의 모든 말과 이 규례를 지켜 행할 것이라(신17:18-19)

자녀 교육에서도 성경을 가르치도록 하였다.

이사야서 54장엔 다음과 같은 구절이 있다. 여호와의 교훈을 통해 평안을 얻는다는 말씀이다. 이 교훈이 없으면 잘못된 길로 가게 되고 그 길에서 가시와 엉컹퀴를 만나게 되고 평안을 잃는다.

13 네 모든 자녀는 여호와의 1)교훈을 받을 것이니 네 자녀에게는 큰 평안이 있을 것이며

94. 탁월한 선생님, 좋은 선생님을 만나는 것은 큰 복

그 분야에 대해 잘 모르는 사람이 선생님이 될 수 있다. 여기에 열정도 없을 수도 있다. 이런 선생님을 만나면 큰 재앙이다.

10여년 전에 방송으로 브라질 축구 가르치는 장면을 보았는데, 내가 원했던, 내가 부족했던 부분이 잘 설명되어 있었다. 발바닥을 활용하여 볼을 컨트롤하는 것의 중요성을 알려주었다.

또 차범근 선수가 상대를 제칠 때는 앞으로 가지 말고 옆으로 볼을 몰아야 한다고 말하는 것을 보았는데 이 점에서 나는 항상 부족했다. 정말 정곡을 찌르는 가르침이었다.

이런 선생들을 일반 과목에서도 만나야 하고, 이렇게 성경을 탁월하게 이해하는 목회자에게서 성경을 배워야 한다.

반대로 잘 알지도 못하면서, 또는 강압적으로 가르치는 선생을 만나면 최악의 결과를 맞게 된다.

중학교 때 전주여고에서 수학 선생을 하다가 전주 남중으로 오게 된 선생이 있었는데, 부임하자마자 우리 반 수업에 들어와서 칠판 전체에 갑자기 긴 공식을 쓰면서 베껴 쓰라고 했다. 당시 중 2였는데 나는 그저 황망해서 칠판을 보고 있었다.

갑자기 돌아서서 나에게 왜 공책에 쓰지 않느냐고 했다. 나는 답할 것이 궁색해서 보고 외우려고 하는데요 했더니 공자 앞에서 문자 쓴다면서 나오라 하더니 책가방을 양손에 들고 벌을 서게 했다.

수업 시간마다 공포로 몰아갔다. 대나무 뿌리 매를 하나 들고서 공포의 수학 시간으로 만들어갔다. 참으로 악한 선생이었다. 이 자는 지금 지옥에서 벌을 받고 있으리라 생각한다.

수학처럼 재미있는 학문을 이렇게 엉터리로 만들어서, 회피 공부로 만든 자들이 수학 선생 중에 가끔씩 있다.

좋은 선생님, 탁월한 선생님을 만나는 것은 큰 복이다. 예수님은 서기관과 바리새인들과 달리 성경을 탁월하게 이해하도록 가르쳐주셨다.

그러면 어떻게 이런 선생을 만날 수 있을까! 좋은 책을 통해서다. 성경이나 고전, 또는 자연 과학 등에 있어서 훌륭한 스승의 책을 만나서 읽는 것이 아주 중요하다.

요즘 유튜브로도 대가를 만날 수 있으니 잘 찾아보아야 한다.

이단 사이비를 만나는 것은 최악이다. 예수님도 그래서 서기관과 바리새인의 누룩, 즉 그들의 교훈, 가르침을 주의하라 하셨다. 내가 다니는 교회, 학교, 또는 방송이나 매체에 나오는 사람들의 교훈도 주의해서 들어야 한다. 검증해야 한다.

95. 공주도 왕위를 계승한다.

일본은 아직도 왕위 계승을 공주에겐 허락하고 있지 않다. 그러나 유럽은 이미 그렇게 하고 있고 영국은 그 대표적인 사례다.

절대 왕정이 민주제로 바뀌었다. 여자 아이들이 잘 자라서 대통령도 되고 권력을 가지고 이 땅을 섬기어야 한다.

박근혜 대통령이 이를 시도했지만 실패했다. 그러나 시도는 계속 되어야 한다. 여자여서 실패한 것이 아니라, 하나님의 뜻대로 살지 않아서 실패한 것이다.

공의 정치, 하나님 경외 정치를 실천하지 않으면 남자든 여자든 그 누구도 권력의 현장에서 실패하게 된다.

이병철 삼성 회장도 딸들을 소중히 여기고 그 딸들에게도 경영 수업을 했다고 한다.

대한민국의 딸들을 잘 키워야 이 나라가 더욱더 온전해진다.

이스라엘은 여성들도 군에서 일반 병사로 복무한다. 우리도 그렇게 해야 한다. 그래야 여성들도 더욱더 권력을 가질 수 있게 된다.

루소는 에밀을 썼다. 나는 소피아를 쓰고자 한다. 에밀은 남자 아이를 중심으로 이야기하면서 교육을 이야기했다.

나는 여자 아이 중심으로 이야기하면서 소피아라는 책을 쓰고자 한다. 이는 교육론이다. 어떻게 하나님 중심으로, 하나님 경외하는 현숙한 여인을 키울 수 있을지에 대한 책이다.

나는 살아오면서 현숙한 여인을 별로 만나보지 못했다. 의인이 남자 중에 천에 하나 있을까 하지만, 여자 중에는 그렇지 않다는 말씀이 있다.

어떻게 여성들을 현숙한 여인, 하나님을 경외하는 여인으로 키울 수 있을까에 대한 고민을 담으면서 또한 모든 아이들에게 필요한 왕도 교육에 대한 책을 쓰고 그 책 제목은 소피아가 된다.

남자는 여자를 낳았고 다시 여자는 남자의 씨를 받아 남자와 여자를 낳는다.

아담에게서 하와가 나오셨으니 남자가 여자를 낳은 것이다. 그리고 다시 하와에게서 가인과 아벨 등의 자녀들이 태어났다.

96. 왕자에게 王道를 교육해야 한다.

우리의 아이들은 왕자이고, 공주이다. 이제 유럽은 공주에게도 왕위를 물려준다.

우리의 아이들에게 왕이 될 수 있는 교육을 시켜주어야 한다.

조선의 왕자들이 받았던 심도 깊은 왕자 교육, 유럽의 왕자와 공주들이 받는 왕도 교육을 받아야 한다.

한자로 왕은 흙과 하늘을 상징한다. 땅의 왕으로서 하늘을 경배하는 일을 왕이 감당해야 한다.

공의 정치, 하나님 경외 정치는 동서양이 모두 깨달은 바다.

요한계시록에 여러번 나오며, 마지막 22장에서도 나오는 세세토록 왕 노릇할 사람들이 바로 하나님을 경외하는 우리의 아이들이다.

아담에게 주어졌던 이 왕 노릇의 사명이 실패했지만, 예수님께서는 그리스도로 오셔서 십자가에서 이 일을 이루셨고, 물과 성령으로 거듭난 아이들은 그 원죄에서 벗어나 세세토록 왕 노릇할 것이다.

1 또 그가 수정 같이 맑은 생명수의 강을 내게 보이니 하나님과 및 어린 양의 보좌로부터 나와서

2 길 가운데로 흐르더라 강 좌우에 생명나무가 있어 열두 가지 열매를 맺되 달마다 그 열매를 맺고 그 나무 잎사귀들은 만국을 치료하기 위하여 있더라

3 다시 저주가 없으며 하나님과 그 어린 양의 보좌가 그 가운데에 있으리니 그의 종들이 그를 섬기며

4 그의 얼굴을 볼 터이요 그의 이름도 그들의 이마에 있으리라

5 다시 밤이 없겠고 등불과 햇빛이 쓸 데 없으니 이는 주 하나님이 그들에게 비치심이라 그들이 세세토록 왕 노릇 하리로다

97. 사무엘의 모유 시기

사무엘상에 보면 사무엘이 젖 뗀 후에 성전으로 가셔 바쳐지는 장면이 나온다.

젖을 뗀 후에 성전으로 가서 엘리 제사장에게 맡겨졌으니, 이 시기가 어느 때 쯤이었을까!

5세라는 이야기도 있고, 7세라는 이야기도 있다.

이를 통해 모유 수유 중단 시기를 결정하기도 한다. 우리

나라의 경우 엄마가 직장 생활을 할 때, 특히 육아 휴직을 하지 않았을 때 일찌감치 모유 수유를 단절한다.

육아 휴직을 최소 3년 정도 주어야 한다고 말하는데 이는 일리가 있다고 본다.

모유가 나오는 한 모유 수유는 계속하는 것이 정상적이라고 본다.

98. 축구 교육

기본기보다 더 중요한 것이 열정이다. 축구에서 이 열정을 꺼뜨리는 짓들을 지도자라고 하는 삯군 목자들이 너무도 많이 한다.

축구를 가르치는 것을 보면 맞고 자란 감독들이 때리면서 가르친다.

축구는 정말 재미있는 경기다. 강아지가 공을 향해 달려가듯이 인간도 이 공에 대한 집착이 있다. 이는 큰 재미다. 그런데 이 재미를 공포로 바꾸는 것이 맞고 배운 감독들이다.

30경비단에서 축구를 하는 것을 보고 깜짝 놀랐다. 지면 맞는다. 중대별 대항을 했는데, 내가 속한 5중대는 감사원 운동장을 활용했다.

그런 축구는 하고 싶지가 않았다.

손흥민 선수의 아버지 손웅정 감독도 엄하게 가르쳐서 마음이 아플 때가 많다고 했는데 맞는 말이다. 축구는 전혀 엄하게 가르칠 일이 아니다.

남미 선수들이 축구를 잘 하는 이유가 유연성이고 춤과 같은 동작이 몸에 배어 있기 때문이다. 아시아 선수들이 축구를 잘 못하는 이유가 이 유연성이 떨어지고 어려서 무술 훈련을 받아서 타점이 높기 때문이고 시야가 좁아서이다. 그리고 팀 훈련이 안되어 있고, 유기적 연습이 부족하고 무엇보다도 공포 가운데 축구를 하기 때문이다.

재미와 열정 가운데 하는 축구는 창의적이다.

그리고 발바닥 쓰는 연습과 사면의 테니스 코트 같은 곳에서 반사 훈련도 아주 좋은 방법이다. 골을 몰고 갈 때는 춤추듯이 하면서 순간 속도 증강 훈련도 좋은 훈련법이다.

작은 공, 큰 공을 활용해서 다양한 연습도 좋은 방법이다. 여자 아이들에게도 축구를 가르쳐도 좋다. 경기여고 학생들 한 반에게 축구를 가르친 적이 있다. 양재천 변에 모아서 훈련도 하고 경기여고 운동장도 활용했다.

드리블과 패스 연습을 주로 시켰다. 큰 딸 아이의 부탁으로 축구 대회에 나가는 아이의 반 선수들을 훈련시켰다. 좋은 성과를 거두었다.

때리고 소리질러서 가르치는 축구 감독들은 사라져야 한다. 그렇게밖에 배울 수 없는 아이들은 축구를 그만 두어야 한다. 축구가 너무 재미있는 아이들만 축구를 해야 한다.

그리고 축구 경기를 관람하는 것도 좋은 교육이다.

시야를 넓히는 훈련은 운동장에서나 또는 tv 관람 중에도 운동장 전체를 계속 보는 훈련, 한꺼번에 보는 훈련을 해야 한다.

길을 갈 때도 사방 주변을 계속 한꺼번에 보는 훈련을 계속 하면 크게 도움이 된다.

공포는 문전 처리 미숙을 가져온다. 창의적 플레이는 재미와 열정 자유로움에서 나온다.

우리 편 움직임과 위치가 한번에 들어오고, 상대편 선수들도 한번에 들어오도록 훈련하면 내가 어느 위치로 가서 골을 잡고 결국 상대편 골망을 향해 골을 넣을 지도 보이게 된다.

골과 선수들의 움직임을 유기적으로 연결해서 파악하고 어느 위치로 가서 골을 받고 다시 누구에게 패스해야 하며 어떻게 상대편 골대까지 다다를 지가 순간적 판단으로 만들어져야 한다.

마치 하이네나 무리가 사냥감 무리 속에서 조직적으로 움직이고 각자 조직 내에서의 자기의 역할을 맡아서 그 임무를 수행해서, 결국 그 먹잇감을 잡아내는 것과 같은 이치다.

이는 국가에서도 마찬가지다. 사냥감을 얻으면 같이 나눠 먹으면 된다. 만약 이것을 같이 나눠 먹지 않는다면 누가 위험 부담을 안고 사냥 전쟁에 나서겠는가!

축구에서 어시스트는 점수가 주어지고 선수의 연봉 상향에도 이롭다.

돕는 것이 자기에게 이로울 때 돕게 된다. 선수들의 모든 움직임이 체크되고 점수화된다.

국가에서 개인들이 국가 발전을 위해 일했을 때 그 결과물이 같이 공유되지 않는다면 결국 국가도 상대 국가와의 경쟁에서 점차 지게 되고 조직력도 떨어지면서 종내는 멸망에 까지 이른다.

99. 대한민국은 지식 국가 연구 국가로 지속 성장해야 한다

대한민국 교육의 목표를 잡아야 한다. 세계 여러 나라가 존재한다.

조선 시대 중기에 비해 거의 대한민국만으로도 10배의 인구가 늘었다. 이 인구가 과연 이 땅에 적절한가에 대해서도 고민해야 한다.

저출산을 문제삼기보다 적정 인구, 대한민국의 국가 목표가 정해져야 한다.

세계 사회에 기여하는 국가로서 대한민국의 의미가 있다. 따라서 대한민국은 세계 사회가 필요로 하는 지식과 연구 개발물을 제공하는 국가로서 자리매김할 필요가 있다.

이에 따라 교육 문제도 자리잡혀져야 한다.

우리 민족은 지식을 숭상하는 민족이다. 아주 좋은 장점이다. 이 장점을 바탕으로 지식 국가, 연구 국가로 지속 성장해야 한다.

100. 개신교 국가들이 덜 부패한 이유가 있을까

개신교 국가와 비교할 때 카톨릭 국가들이 더 부패한 경우들이 많다. 필리핀도 남미도 그렇다. 카톨릭의 교리와 어떤 상관이 있을까!

막스 베버는 프로테스탄티즘의 윤리와 자본주의 정신에서 개신교 국가들이 더욱 번영하는 이유를 그 교리에서 찾았다. 비판이 가능한 사회와 비판이 금지된 사회의 치이이리라 본다. 카톨릭의 경우 사제들에 대한 비판이 극도로 제어된다.

그런데 개신교는 모두 옳다. 서로 견제가 된다는 이야기다.

모두 성경을 읽고 모두 의견을 낼 수 있는 제도는 건강함을 유지한다.

그러나 일부가 설교권을 장악한 사회, 그들에 의해서만 도덕적 권위가 주어지는 사회는 그 밖에서 훨씬 더 타락하고 만다.

하나님의 권위 외에 사람들의 권위의 차이가 커지면 반드시 부패한다. 카톨릭이 사제들의 권위를 불필요하게 높임으로써 이런 문제를 유발한 것이 아닌가 싶다.

이스라엘의 레위 지파는 특별한 지파가 아니라 기능적으로 성전과 제사 관련한 일을 담당한 지파였다. 다른 지파보다 높은 지파가 아니었다. 그러나 그들의 영역을 불가침이었다. 이 불가침이 불평등의 요소를 가진 것은 아니었다.

  그런데 요즘 교회에서 이런 불가침이 아니라 불평등을 도입한다. 개신교는 만인 제사장주의를 도입했지만 과거로 더욱 회귀한다. 카톨릭화 한다. 카톨릭보다 더욱 그렇다.

101. 가난한 사람과 약자 공평에 관심이 적다면 정치하지 말아야

 왕이 가난한 자를 성실히 신원하면 그 위가 영원히 든든하리라는 말씀이 있다. 가난한 자에게 관심이 없다면 정치를 하지 말아야 하는 이유가 된다.

 우리의 대통령들을 보면 대통령직에 적당하지 않은 사람이 여럿 보인다.

 현재 주자들 중에도 마찬가지다.

 병자, 약자, 어린이, 가난한 사람, 눌린 사람, 포로된 사람들에 대한 관심이 높은 사람이 정치를 하고 대통령이 되어야 한다.

 부자와 강자는 스스로 지킨다. 그러나 위 사람들은 누군가의 도움이 필요하다.

 법관이나 공무원 의사도 마찬가지다. 목사는 더욱더 그렇다. 위의 성향을 가진 사람들만 이런 직업을 가져야 한다.

 모든 사람이 신이므로 사실 모든 사람이 이런 성향을 가져야 한다. 그런 사회는 천국이 된다.

 반대의 사회는 지옥이 된다. 남미 등 부패 사회의 특징이다.

102. 어려서 태권도를 많이 하면 축구 실력이 늘지 않는다

태권도는 발을 들어차는 운동이다. 축구는 발목을 쓰는 운동이고 앞뒤로 뛰어다니며 팀 운동이다. 태권도는 개인 운동이다.

 아시아권이 축구 실력이 유럽이나 남미에 비해 떨어지는 것도 아시아는 발을 쓰는 무술을 어려서 아이들이 익히기 때문이고 남미 등은 아이들이 어려서부터 춤을 추기 때문이다.

 축구는 오히려 춤에 가까운 동작이 많다. 짝을 이뤄 춤을 추는 것도 팀웍에 도움이 된다.

 손흥민 선수가 성공할 수 있었던 것도 어려서 태권도를 배우지 않아서다. 남자 아이들을 어려서부터 태권도를 가르치는 것은 축구 선수가 되려 한다면 피해야 할 일이다.

 축구 연습시 권위적으로 가르치는 것은 좋지 못하다. 강아지들이 공을 따라 재미로 뛰어다니듯이 축구는 그런 운동이다.

 순발성은 실내에서 벽차기 연습도 도움이 되고 발바닥을 사용해서 볼 컨트롤 하는 연습도 아주 유용하다.

 그리고 시야를 넓히는 훈련도 주효하다.

 운동의 특성에 따라 신체가 발달해버리면 후에 다른 부위를 사용하거나 다르게 써야 하는 운동에 적용하기 힘들어진다.

 정치도 마찬가지다. 정치에 맞지 않는 직업들이 있다. 상업 활동도 그러한 것이라 본다. 이는 이익을 중심으로 한 활동인데 정치는 이익이 아니라 통합이고 정의가 중심인 직업이기 때문이다.

장사꾼으로 오래 산 사람은 끊임없이 이익을 계산하는 것이 몸에 밴다.

그러나 정치는 끊임없이 정의가 무엇인지, 공평이 무엇인지, 전체가 어떻게 어떤 방향으로 가야 할지를 고민하는 직업이다.

103. 우리의 제품이 환경 오염시키지 않느냐는 질문에

내가 다니던 국내 굴지의 화학회사 임원에게 이런 질문을 했다. 그러자 그는 버럭 화를 내면서 어떤 미친 놈이 우리 회사 제품이 환경을 오염시킨다고 하더냐고 화를 내고 회의장을 나가 버렸다.

거기엔 그 전무와 다른 임원들, 과장, 그리고 말단인 나까지 있었는데 말단인 내가 그런 질문을 했고 회의는 아수라장이 되었다.

그런데 그 밑의 임원들이나 다른 분들은 나에게 아무런 말도 하지 않았다. 자신들도 그것이 맞다는 것을 알고 있었고, 양심이 있었기 때문이다.

그 사이 이 회사의 주가는 100배가 넘게 올랐다.

나는 미친듯이 일을 했다. 더 많은 제품을 팔았다. 치약 광고에선 치솔에 길게 짜는 모습이 나온다. 그렇게 치약을 많이 써야 한다는 것을 각인시킨다.

나는 회사를 그 일로 그만두었다. 더이상 희망이 없었다. 그 회사를 내가 바꿀 수도 없었다. 그래서 정치를 하기로 마음먹었다. 처음에는 회사에서 임원까지 된 후에 여러 여력을 확보하고 정치하려고 했다. 하지만 그것이 불가능하다는 것을 알게 되었다. 나는 이미 불공정한 게임의 앞잡이가 되어 더 작은 회사들을 무자비하게 이겨나가는 전사가 되어 있었다.

물론 해외 회사들보다 더 성장해야 했다. 그러나 그 회사들도 마찬가지다. 가습기 살균제 사건에서 이런 일은 잘 드러난다. 해외의 회사들이 어떤지.

104. 우리에겐 백신 연구 인력이 필요하다

시험으로 고시를 보던 시절에서 공무원은 아직도 그렇게 하지만, 이제 사시는 없어지고 로스쿨 중심으로 바뀌어왔다. 하지만 그 마지막도 다시 시험이다.

법의 영역에서도 연구가 더 필요하다. 그러나 시험에서 합격한 사람들이 판사와 검사, 그리고 의사가 되는 구조가 맞은지 고민해야 한다.

이전에는 중학교 입시, 고등학교 입시를 거쳐 대학입시까지 이루어졌으니 이런 형태의 인재 양성 과정에서 살아남은 사람들이 어떤 유형일지를 잘 생각해야 한다.

이런 유형이 한 사회를 이끌고 주요 자산을 장악할 때 어떤 현상이 벌어지는지 잘 살펴보아야 한다.

지금의 헬조선은 바로 이런 시험 유형의 인재들이 장악해가는 사회가 아닌지 잘 살펴보아야 하고, 이젠 그 자녀들이 대를 이어 이 사회의 노른자를 장악하는 사회가 아닌지 살펴보아야 한다.

이스라엘의 지도자들이 예수님을 죽였고, 예수님은 그 기존 체제에서 선발된 인원들을 통해 자신의 제자를 충원하신 것이 아니라 어부 등 그 체제에서 배척된 사람들을 제자로 충원하셨다.

이것이 어떤 다른 결과를 가져오는가!

지금 대한민국 사회는 대통령에서부터 시험에 통과한 사람들이 장악해가고 있다. 민주화 세력이 잠시 장악했다. 이전에는 군부, 그 전에는 독립 운동 세력,

기업도 시험을 통과한 세력을 그 주요 노동원으로 확보하고 있다.

지금 코로나 문제를 해결할 사람들은 연구 인력들이다. 한국이 이 분야에서 우수한 성과를 내지 못하는 것은 바로 이 인력의 부족이다.

한 사회에서 정말 필요한 인력은 바로 이런 근본적 문제 해

결자들이다. 단순히 시험에 통과한 세력이 아니다.

정치에서도 이런 백신 개발자와 같은 성향을 지닌 사람들이 주도해야 한다. 헬조선의 문제를 근본적으로 오랫동안 고민한 사람들이 주도하는 세상 만이 대한천국으로 바꿀 수 있다.

예수님의 제자들은 그런 사유하는 사람들이었다고 본다. 비록 어망을 잡고 있었지만 그것을 끊임없이 고민했던 사람들.

이 사람들을 찾아내야 이 사회가 한 걸음더 진전할 수 있다.

앞의 것을 그저 외울 수 있고, 거기에 순응하기에 적합한 인물들은 이제 이 사회를 헬조선으로 이끌어갈 뿐이다. 그들은 자신들의 이익을 먼저 챙기고, 자신의 성공을 먼저 소망하기 때문이다.

만인의 종이 되려는 사람들을 찾아내야 한다. 돈을 벌려고 의사가 되는 자들을 걸러내야 한다. 돈을 벌려고 목사가 되고, 돈을 벌려고 선생이 되고, 돈과 명예를 얻으려고 판 검사가 되려는 자들을 걸러내야 한다.

돈을 벌려고 기업을 하는 자들도 걸러내야 한다. 세상에 유익한 제품을 만들기 위해 기업하는 사람들이 성공하는 사회가 되어야 한다.

105. 선행 학습은 장려되어야 한다

교육 과정은 기본적인 틀이다. 다양한 자질을 가진 아이들이 모두 여기에 맞춰지는 것은 재앙이다.

그런데 군부 정권보다 무늬만 좌파 정권이 선행 교육을 죄악시 한다. 자기 자녀들에겐 선행 교육을 시키면서.

최근 경원중학교 사태도 마찬가지다.

그 동네에 황교안 전 대표와 이낙연 대표도 사셨다. 지금도 황 전 대표는 살고 계실 것이고.

사람마다 능력도 다르고 관심사도 다르다.

최근 수영의 천재가 나타났다고 한다. 작년에 놀라운 기록을 세웠는데 17세였다.

이제 18세 잘 하는 분야가 각각 다르다. 손흥민 선수도 축구에 재질이 있으니 어려서부터 선행 교육이 아버지로부터 이뤄져서 세계적인 선수가 되었다.

어려서부터 수학을 잘 하는 아이는 계속 하면 된다. 바둑을 잘 두는데 선행학습을 하지 않으면 조치훈 같은 사람이 나올 수 있었을까!

한 분야에서 탁월한 사람들은 대부분 그 분야의 선행 학습자다. 선행 학습을 해서 그렇게 된 것이 아니고, 선행 학습을 받을 만큼 그 분야에 자질을 가지고 있었던 것이다.

이렇게 어려서부터 학생들의 자질과 탤런트를 파악하고 그 분야에서 더욱 발전하도록 돕는 선행 교육이 이뤄져야 한다. 다만 기본 소양이 필요한 다른 분야의 교육도 병행하면서.

스포츠 선수들도 마찬가지다.

그 선행 학습을 통한 결과의 열매를 독점하는 것이 문제이지 그 선행 학습 자체가 문제되지 않는다. 좌파가 좋아하는 김정은도 선행 학습을 받아서 어려서부터 위대했다고 하지 않는가!

예수님도 12살에 이미 성전에서 선생들과 듣기도 하고 묻기도 하였는데 듣는 자가 다 그 지혜와 대답을 놀랍게 여겼다는 말씀이 나온다. 그런데 그 부모는 근심하며 아이 예수를 찾으셨다. (누가복음 2장 41-52절)

106. 정인의 고난과 죽음

11 어찌하여 내가 태에서 죽어 나오지 아니하였던가 어찌하여 내 어머니가 해산할 때에 내가 숨지지 아니하였던가
12 어찌하여 무릎이 나를 받았던가 어찌하여 내가 젖을 빨았던가
13 그렇지 아니하였던들 이제는 내가 평안히 누워서 자고 쉬었을 것이니(욥기 3장에서)

아마도 미혼모 분이 생모였을 것으로 추정되는 정인이가 2020. 10.13일에 죽었다. 그 하루 전 그를 죽인 양모 장씨

가 정인이를 어린이지에 보냈다. 16개월. 19년 6월생.

상태가 안 좋아보였는데도 어린이집 선생님들은 아이를 안고 안타까워했을 뿐 병원에 데려가지 않았다. 양모가 싫어하기 때문이엇다. 이미 신고의무자로서 두번이니 신고했지만 경찰이 받아주지 않았고 이로 인해 더이상 신고할 엄두가 나지 않았을 것이다.

오랫만에 다시 정인이를 어린이집에 맡긴 양모 장씨.

그리고 다음 날 아이는 췌장까지 끊어져 죽었다. 배 속에는 피가 가득했다. 사인은 그것이 알고 싶다에서는 아마도 쇼파 같은 데서 뛰어내려 바닥에 누은 정인이 위로 충격을 가했을 것으로 보았다. 그 정도 충격이어야 하고 뒤로 물러갈 수 없는 지경이어야 척추 바로 앞의 췌장이 끊어질 수 있다고 추정했다.

하나님께선 왜 이 아기가 이런 삶을 살다 가도록 허락하셨을까! 왜 이 아가가 장씨라는 여자에게 그렇게 두들겨 맞을 때 구해주지 않으셨을까! 왜 수호 천사를 보내셔서 구해주지 않으셨을까!

마지막 날, 전 날에 왜 어린이집 선생님들은 다시 한번 병원에 데려가지 않았을까! 장이라는 여자는 왜 그 전 날 어린이집에 보냈을까!

목사의 아들과 목사의 딸인 이 부부.

가인은 하나님께 예배를 드리던 자였다. 아벨도 그러했다. 그리고 가인은 아벨을 때려죽였다. 하나님은 아벨의 핏소리를 들으셨다. 왜 아벨이 맞아죽도록 놓아두신 다음에 개입하셨을까!

예수님도 하나님 믿는다고 하는 자들에게 맞았고 십자가에서 돌아가셨다. 그런데 이 예수님이 하나님이시다.

107. 과도한 경쟁만 문제가 아니라, 불공정한 경쟁과 그 결과물의 지나친 독점이 문제다

교육 등 우리 사회에서 펼쳐지는 경쟁이 문제가 아니라, 그 불공정이 문제이고, 그 결과물의 지나친 독점이 문제다.

출발선이 다르고, 준비 과정이 불공정하고, 뛰는 중간의 핸디캡이 다르고, 심판이 불공정한 경쟁이 우리 사회 곳곳에서 벌어지고 있다.

경쟁은 인간의 기본 본능이다. 이것이 나쁘다고는 할 수 없다.

그러나 그 결과물을 1등이 모두 차지하는 구조가 잘못되었다. 1,5배를 넘지 않는 분배가 필요하다.

그리고 협력의 경쟁이 유도되어야 한다. 경쟁적으로 협력하도록 교육되어야 한다. 인간의 본성에 경쟁심도 있지만, 협력심, 협동심도 있기 때문이다.

작은 단위의 협력과 집단 단위의 협력, 국가와 세계 단위의 협력도 교육되어야 한다.

자본주의 사회에서 결과물의 독점이 더욱더 광범위하게 이뤄지고 있다. 축구 경기를 여러 사람이 보았는데 축구 선수들이 높은 연봉을 받게 되고 그 돈으로 집과 땅을 사게 되고 광고비도 많이 받게 된다. 그리고 빈부 격차가 커진다.

이런 일이 기업을 통해서는 더욱 심각하게 이뤄진다. 사람들이 많이 사용하는 물건을 생산하는 기업일수록, 그 기업의 최대 주주와 사원들은 큰 이익을 얻게 되고 그들은 다시 땅도 더 많이 차지할 수 있게 된다.

따라서 이를 적절하게 주기적으로 다시 분배하는 작업이 정부에 의해서 이뤄지지 않는다면 이 극대한 빈부격차는 부패로 이어지고 한 사회나 국가는 필연적으로 무너지게 된다.

108. 유대인의 성년식과 사춘기

유대인들은 성년식을 만 12세가 지나면 해준다고 한다. 우리로 치면 중학교 1학년이나 2학년이다. 우리 사회에서나 교육학적으로 질풍노도의 시기라고 하는 사춘기, 반항아 등으로 개념짓는 나이다.

예수님은 12살에 성전에 가셔서 묻기도 하시고 답하기도 하셨는데 그 수준에 사람들이 놀랐다.

아이 사무엘은 그 청소년기에 제사장 엘리를 대신해가기 시작했다.

요셉은 이 청소년 시기에 아버지의 충성된 아들이었고, 다윗도 그러했다.

진화론으로 촉발된 잘못된 교육 철학과 심리학이 무언가 우리의 사고를 근본적으로 문제화하고 있다고 본다. 모두가 정신병에 걸린 것처럼 보는 사회가 되었다. 그 중에 하나 심각한 것이 사춘기에 대한 오해라고 본다.

문제의 사춘기가 아니라 이제 성인들과 함께 하여 그 생각의 폭을 넓히고 깊이를 다지는 좋은 때가 십대 초반이다. 아름다운 시절이다. 그런데 같은 또래의 청소년들과만 교류하면서 지내니 그 한계가 좁고 그래서 좌충우돌하게 되는 것이라 보인다.

사춘기가 되면 성인과 같은 성징들이 나타난다. 문제가 아니라 성숙이다. 육체적으로도 이런 성숙이 나타나는데, 당연히 정신적으로나 사고적으로도 아이에서 어른으로 성숙해가는 과정이 생겨야 한다. 그래서 사춘기에는 더욱더 어른들과 토론하는 과정과 어른들과 엮여서 생활하는 과정이 필요하다고 본다.

요셉의 형들은 타락한 사춘기를 보냈다. 노아 시대에 전멸한 사람들도 그랬다. 그랬기에 사춘기는 문제라고 보는 것은 잘못된 시각이다.

사춘기를 제대로 성숙의 시간으로 보내는 방법 중 하나가 성경과 고전 읽기다. 그리고 올바른 어른들과의 교류다. 그러나 지금 올바르지 못한 많은 컨텐츠들이 방송들을 통해 무제한으로 청소년들에게 제공된다. 우리는 소돔과 고모라로 가고 있다.

산업사회로 넘어오면서 모든 것이 분리되어 노동 현장이나 가정에서도 아이들과 부모들이 함께 할 시간이 사라졌다. 학제도 그래서 다시 고민해보아야 한다. 초중고대로 분리하는 것이 맞는가?

109. 나의 부모님의 교육

부모님이 자녀에게 줄 수 있는 가장 큰 유산은 하나님 말씀이고, 하나님 경외입니다.

사람은 떡으로만 살 것이 아니요, 하나님 입으로 나오는 모든 말씀으로 삽니다.

저희 아버지는 김완봉 선생이시고, 1929년 1.15(음)생이시고, 2001년 4.22에 주님께로 돌아가셨습니다. 6.25 시작한 날 입대하셔서, 6.25 휴전하고 제대하셨으며, 영화 산업과 운수 사업을 하셨고, 한 때 사업에 크게 어려움을 겪으셨지만 자녀들을 믿음 안에서 잘 양육하시고, 마지막엔 의사들의 실력 향상을 위해 시신을 전북대 의대 해부학 교실에 기증하시고 이제는 임실 호국원에 영면하고 계십니다.

오늘은 아버지의 기일입니다. 시신 기증을 하시고 1년 6개월 정도 뒤에야 시신을 해부학 교실로부터 다시 모셔서 화장해드렸습니다. 그 사이에 어머니는 밤잠도 잘 주무시지 못하셨습니다. 아버지의 시신이 차가운 해부학 교실 철판 위에 계신데 어찌 편히 잠을 잘 수 있느냐고 하셨습니다.

아버지는 참으로 어렸을 적에 함께 많이 놀아주셨습니다.

아침에 일어나면 쭈까쭈까를 해주셨고, 뜸마뜸마를 해주셨습니다. 노래를 같이 불러주시고, 자전거도 가르쳐주시고, 자전거 뒤에 태우시고 다니시고, 자가용에 태워 여러 곳에도 놀러다녀주셨습니다.

야구 놀이도 같이 해주시고, 등산도 같이 다녀주셨습니다. 시내에 손잡고 같이 다니시면서 친구 분들도 소개시켜주셨습니다.

아버지의 마지막 모습은 성경을 읽으시던 모습이셨습니다. 안경을 쓰시고 밑줄을 그어가시면서 성경을 읽으셨습니다. 그리고 제가 쓴 책, 죽은 겨자씨 한 알 -한국 자본주의의 주체적 조건 발전론- 이라는 책을 눈물로 읽으셨습니다.

인생은 한 고비 넘으면 또 한 고비가 온다고 말씀하셨습니다. 전주에 대한 말씀, 전주 사람들에 대한 말씀을 하셨고, 저를 데리고 김일성 조상 묘가 있는 모악산에도 가셨습니다. 아버지는 6.25 참전 용사로서 김일성 군대와 싸우셨습니다.

1996년도 15대 총선에 제가 전주에서 출마하자 선거 운동을 같이 해주시면서 많은 가르침을 주셨습니다. "네가 악수하는 사람이 네 표가 된다"고 말씀하시면서 많은 사람과 악수하라고 하셨습니다.

새벽에 제가 피곤해서 잘 일어나지 못하면, 정신 차리고 일어나라고 하셨습니다. 최선을 다하라고 하셨습니다.

저의 눈빛을 보시고 일을 해낼 수 있을 것이라고 자신감을 주셨습니다.

언제가 한 꿈에서, 돌아가신 아버지가 전북대 앞에서 당선 메달을 목에 거시는 모습을 보았습니다. 하나님께서 아버지를 당선되게 해주셨다는 생각이 들었습니다.

어머니는 전주여고 농구 선수 출신이십니다. 전국체전 준우승까지 하셨습니다. 포지션은 가드. 강한 여인이십니다. 휴지통엔 항상 농구공처럼 던져 넣으십니다.

여러 교훈을 주시고, 잠언도 많이 말씀해주셨는데요. 가끔 어머니가 주시는 교훈에 대해 비판한 적도 있습니다. 예를 들어 밤에 손톱을 깎지 말라시는 말씀에 대해 생각해본 적이 있습니다. 그 말씀이 맞지만 왜 그런 이야기가 나왔을까? 옛날에는 가위나 칼 등으로 손톱을 깎았을 것이고 초롱불이었으니 위험했을 것입니다. 그래서 밤에 손톱 깎으면 안 좋은 일이 생긴다는 식으로 어른들이 어떤 이야기를 만들어내셨으리라 생각하게 되었습니다. 그러면서 점차 어른들의 교훈이 왜 만들어졌는지를 고민하고 생각해보게 되었습니다.

110. 서남대 의대 국유화

 서남대 의대를 국유화해야 한다. 건강보험공단 산하 의대로 만들고 서민 자녀 중 자질 있는 학생만 받아서 전액 장학금을 지불하고 후에 그곳에 최신식 국립병원을 건립하고 거기에서만 최저임금으로 근무하도록 해야 한다

111. 대모산 둘레를 교육 특구, 대모캠퍼스 즉 개포 일원 수서 세곡 캠퍼스로 만들겠습니다.

아래는 지난 총선에서 지역구에서 냈던 공약을 적어 보았습니다.

대모산 둘레를 교육 특구, 대모캠퍼스 즉 개포 일원 수서 세곡 캠퍼스로 만들겠습니다.

고 1 때부터 중학생을 가르쳤고, 여러 학생들을 직접 가르쳐본 경험, 서울 베다니 학교 교장, 우석대학교 기획 부처장 등의 경험을 통해 세곡 지구를 교육 특구 세곡 캠퍼스로 만들겠습니다.

어린이집, 유치원, 초등학교, 중학교, 고등학교가 연계된 시스템이고 지역에 대학 연구소 및 대학원 대학교 등을 유치하고 평생 교육 시스템을 완비하고 부모 교육과 경로 대학 프로그램을 통해 토탈 교육 시스템을 완성하겠습니다.

지역 내 재능 기부를 통해 서로 교육 재능을 나누고 돕는 대모산 개포 일원 수서 세곡 캠퍼스로 만들겠습니다.

대모산 둘레를 교육 특구, 대모캠퍼스 즉 개포 일원 수서 세곡 캠퍼스로 만들겠습니다.

고 1 때부터 중학생을 가르쳤고, 여러 학생들을 직접 가르쳐본 경험, 서울 베다니 학교 교장, 우석대학교 기획 부처장 등의 경험을 통해 세곡 지구를 교육 특구 세곡 캠퍼스로 만들겠습니다.

어린이집, 유치원, 초등학교, 중학교, 고등학교가 연계된 시스템이고 지역에 대학 연구소 및 대학원 대학교 등을 유치하고 평생 교육 시스템을 완비하고 부모 교육과 경로 대학 프로그램을 통해 토탈 교육 시스템을 완성하겠습니다.

지역 내 재능 기부를 통해 서로 교육 재능을 나누고 돕는 대모산 개포 일원 수서 세곡 캠퍼스로 만들겠습니다.

이 일은 대학 등 다양한 교육 기관을 경영해본 김광종이 제격입니다.

우석대학교 기획 부처장 당시 대학 부설 어린이집도 있었고 유치원도 있었고 사범대학도 있어서 교수님들과 관계자와 함께 발전 방향을 찾고 기획하고 변화 발전시켜 갔습니다. 대학 부설 병원도 있었습니다.

이 경험을 살려 어린아이들이 부모의 보육을 받고, 양질의 유치원 교육을 받고 초중학교 기간을 통해 학업 능력을 향상시키고 고교에 가서 자신의 적성에 맞는 진로를 찾아 대학으로 진학하는 시스템을 만들겠습니다.

지역의 교육 기관들이 서로 연계되고 돕고, 또 외부의 도움을 받아 아이들과 선생님 학교 관계자 부모가 모두 보람되고 행복한 교육 시스템을 만들고자 합니다.

19대 총선 그리고 20대 총선 이후, 세계 여러 교육 도시들을 돌아 보았습니다.

미국 하버드 대학교가 있는 보스턴과 스탠포드 대학이 있는

캘리포니아 여러 지역, 워싱턴 등지의 과학관과 영국에서는 옥스포드 대학이 있는 도시 그리고 독일의 뮌스터 지역, 중국 베이징 대학 도시, 일본 와세다 대학 도시 등입니다.

특히 뮌스터 같은 경우는 초중고대학생이 전체 도시 삼십만 명 정도 인구의 삼분의 일을 차지할 정도로 교육 특화된 도시였습니다.

김광종이 바로 이런 다양한 경험을 바탕으로 대모 캠퍼스내에 세곡 캠퍼스 개포 캠퍼스 일원 캠퍼스, 수서 캠퍼스를 만들어내겠습니다.

지구 내에 친환경 교통 시설을 통해 창의적인 대안을 보여주고 여러 과학, 언어, 인문 시설을 확대하여 아이들이 자기 계발을 잘 해낼 수 있도록 만들겠습니다.

지구는 대모산을 중심으로 원형 형태로 4개 지역이 위치하고 있고 임야 등이 많은데 이를 잘 활용해서 소규모 특성 도서관 들을 다양하게 만들어 접근성을 높이고 다양한 놀이 시설, 보육 관련 시설도 이렇게 만들어서 가정 어린이집을 포함한 여러 보육 기관들이 이런 시설을 아울러 이용함으로써 보육의 질을 향상시키고자 합니다.

영유아 특화 도서관, 아동 도서관, 중고생을 위한 수학 카페, 영어 카페, 역사 카페, 과학 교실 들을 만들어가겠습니다.

지역 주민 간에 잘 협조하여 아파트 단지별 유휴 시설, 주민 센터, 교회, 공원, 학교 시설 등을 잘 활용하여 각 시설별로 특화할 수 있도록 하겠습니다.

대모산이 할머니 같은 大母의 의미를 가졌는데, 이곳에서 맹자의 어머니가 맹자를 키워냈듯이 대모산을 둘러싼 이 지역에서 수많은 인재가 배출되어 나라와 세계에 기여하는 시스템을 만들겠습니다.

21대 강남을 국회의원 후보 기호 3번 김광종 올림

112. 재정 곤란 사립대 국유화가 필요하다

대학 입학생 숫자가 준다고 대학 구조 조정에 나서고 있는데 그럴 필요가 없다고 본다. 재정 곤란 사립대학을 국민 재정 혹은 국민 연금을 통해 국유화하고, 즉 국립대로 전환하고 등록금을 낮추면서 등록금 무료화를 통해 일류 대학으로 키워 갈 수 있다.

외국 학생들을 적극적으로 받아들여 미국처럼 교육을 산업화해야 한다. 이 외국 학생들은 한반도의 번영과 평화를 위한 초석이기도 하다.

국내에 한정하여 근시안적으로 구조 조정에 나서 폐교하는 것은 하수다.

아리랑당은 이런 일을 해내고 싶다.

113. 학교 폭력

우리 사회는 상당히 폭력적이다. 군대가 존재하고 같은 민족이 폭력으로 서로를 대하고 있다. 대부분의 남성이 군대에 가서 폭력을 학습한다. 국가 권력을 위하여 상대를 죽이는 연습을 하고 온다.

폭력이 모두 나쁜 것은 아니다. 공적 폭력과 사적 폭력이 있는데 국가 기관의 공권력은 정의를 유지하기 위해 공적 폭력 수단을 확보해야 한다. 대내외적 불의를 제거하기 위해 이 수단이 필요하고 구성원에게 연습시켜야 한다.

조선말에 일제에 망한 일이 다시 되풀이되어선 안된다.

그런데 폭력의 행사에 있어선 합의된 정의가 필요하다.

학교 폭력 문제에 대응하기 위해선 이와 관련한 학내 토론이 필요하다. 학생들과 교사들이 함께 하여 학내에서 폭력에 대한 공개 토론을 지속적으로 실시해야 한다.

상담 교사를 배치하고 개별적으로 상담하고 치료하는 과정도 필요하고, 지역 사회와 연계하여 함께 풀어가야 한다. 학부모회, 지역의 종교 사회 시민 단체와 연계해야 한다.

학교 폭력 대책위를 범지역적으로 구성하여 어른들이 이 문제를 푸는 데 도움이 되어주어야 한다.

그리고 경찰력과 사법제도를 통해, 학생간 청소년간 사적 폭력을, 합의된 공적 폭력으로 과감히 징벌해야 한다.

114. 버스 정류장 길거리 문고

청소년들과 수많은 사람들이 매연을 맡으면서 버스를 기다리는 정류장에 길거리 문고를 만들고 매연과 추위 및 더위를 피하는 시설을 해야 합니다. 태양광과 열을 이용한 방식이 좋을 것으로 보입니다.

지하철 정류장에도 간이 문고를 만들어야 하고, 지하철 객실에도 이런 소형 문고가 필요합니다.

일촌 광음 불가경의 정신으로 학습하는 나라가 되어야 합니다. 제가 국회의원과 대통령이 되면 그런 나라를 만들겠습니다.

중고 서적들을 기증받아 각 지자체별로 운영하면 됩니다.

115. 대청중학교 과학 시간에 질문하다가 학원에 가서 물어보라는

성은이가 중2 때 삼천포 중학교에서 대치동에 있는 대청중학교로 전학했습니다. 이제 성은이가 재수한 후 한양대학교에 다니니 벌써 7년도 넘은 일입니다.

우리의 공교육이 어떤 현실인지를 잘 보여주는 일이 있었습니다. 사교육 1번지라고 하는 대치동에서 벌어진 일이니 이는 상당한 상징성과 대표성을 가진 일이라고 보입니다.

삼천포에서 전교 1,2등을 하다가 서울에 왔는데 선행 학습은 하지 않고 그 수준에서 계속 공부하는 방식이었습니다.

그러다가 수학은 중간고사에서 60점대, 기말고사에선 아예 50점대로 떨어졌습니다. 물론 대부분의 아이들이 높은 점수를 맞는 상황이었구요.

성은이는 절망에 빠졌고 다시 삼천포로 돌아가면 안되겠느냐고 물었습니다.

그 와중에 과학 시간에 벌어진 일인데요. 잘 모르는 게 있어서 선생님에게 질문드리자, 이 선생님 왈, "너는 학원도 안 다니냐? 거기 가서 물어봐라"

삼천포에서 선생님에게 질문하고 대답을 듣고 하는 방식으로 공부하다가 대청중의 그 선생님에게 이런 핀잔 같은 대답을 듣게 된 후..

학교라도 찾아가 따져보고 싶었지만 참았습니다. 어찌 그 한 선생님만의 문제이겠습니까? 공교육이 무너진 현실.

참으로 선생님이길 포기한 선생님입니다. 그런데 또 아이들은 얼마나 수업 시간에 떠들고, 또 왕따를 시키고. 그리고 학원들로 가고.

공부를 잘 하는 아이는 그 상황에서도 살아남아 좋은 대학에 가고, 승자 독식의 세상에서 그 전리품을 누리고.

이 세계에서 실패한 아이들은 살아남기가 힘든 상황이 되구.

구조적으로 바꿔야 하기도 하고. 또 개인적 도덕적으로 바꿔야 하기도 하구.

116. 건강보험에서 저소득 가구 의대생 지원해야

의료 부문과 관련하여 전면적 구조 개정이 필요한 면이 있는데, 이는 장기적으로 추진해야 한다. 그 중 한 가지가 의대생을 양성하는데, 저소득가구 출신의 의대생을 배출하는 것으로, 이들에게 장학금과 생활비를 지급하고 지원하며, 우수한 의료 인력으로 양성하는 방안이다.

의학박사까지 지원하고, 이후 건강보험공단이 직접 운영하는 의료시설에서 평생 봉사하도록 하는 방안이다.

이들은 연구에도 몰두할 수 있도록 도와야 하고, 한국형 의료 시설을 만들어내고, 고부가가치를 창출할 수 있게 지원해야 한다.

주택도 무상으로 이들에게 제공되어야 한다. 오직 의료에만 집중할 수 있게 해야 한다. 그리고 급여는 대신 공무원 수준으로 만들면 된다.

평생 국가의 지원을 받았기 때문에 그렇게 해도 된다. 아예 초중고 시절부터 선발하여 지원하는 방안도 고려해볼 수 있다.

117. 대학 기숙사 국가 건립

각 대학들에 국가가 직접 나서서 국고를 통해 기숙사를 건립해줘야 합니다. 땅은 학교에서 제공하고 국가는 건물을 지어주는 방식이고, 이 건물의 소유는 국가로 유지해야 합니다.

그리고 학생들은 무료로 이 기숙사에 입주해서 소정의 관리비 정도만 내게 함으로써 가난한 학생들이 여기에 거주하여 생활비를 줄일 수 있게 만들어주어야 합니다.

그리고 졸업 후에, 취업한 후에 국가에 자발적으로 장기간에 걸쳐 일정 금액을 다시 내도록 해야 합니다.

118. 대학 등록금 인하 방안 :교수 요원에게 박사까지 무료 교육 필요

대학 등록금이 비싼 이유 중 하나가 교수들 급여도 들어간다. 그래서 아예 대학 교수가 될 사람에겐 대학 등록금부터 박사 마칠 때까지 국가나 또는 그 대학이 무료로 교육을 제공한다. 서민 혹은 저소득 가구에서 50% 정도 충원한다.

물론 무료 기숙사와 소정의 생활비도 주어져야 한다.

그렇게 한 다음에 교수가 되었을 때, 집이 주어져야 하고, 대신 급료는 아주 적게 주어야 한다. 이것을 제도화하고 그래서 교수는 급여가 적게 만듦으로써 대학의 운영비를 줄여주어야 한다.

이런 구조에서 교수가 되려는 사람을 선발하면, 가난한 집 아이들 중에 능력이 있는 아이들이 많이 교수 요원이 되려할 것이다.

이는 전반적으로 대학 등록금도 낮출 수 있고, 가난한 집 아이들도 살릴 수 있는 길이다.

이런 교수 충원 프로그램을 모든 국공립대학부터 강제화해야 한다. 그리고 사학으로도 확대해야 한다.

마찬가지로 공무원이나 교사가 되려는 사람들도 이런 무상 교육을 해주어야 하고, 취업이 되면 낮은 급료를 제공해야 한다. 그러면 똑같은 효과가 생길 수 있다.

이런 방식은 등록금도 낮추고, 물가도 잡을 수 있고, 가난한 집 아이들도 살릴 수 있다. 교육 문제의 상당 부분도 해결할 수 있다.

무상이라 쓸 수 있는 분은 오직 하나님 한 분 뿐이시다. 우리는 모두 하나님께로부터 받은 것에서 다시 내놓을 뿐이다.

119. 무상 급식이 아니다

무상 급식을 놓고 반대하면서 싸우는 자가 있다. 참으로 할 일이 없는 자다. 차라리 서울 시장을 그만하는 편이 낫겠다.

그리고 그와 의견을 같이 하는 한나라당도 마찬가지다.

무상 급식이라 표현하는데 이는 잘못된 것이다.

1) 국민들이 낸 세금으로 급식하는데 어떻게 이게 무상급식인가? 아이들은 이 국민들의 자식이고, 친척이다. 손자도 있을 것이고, 조카도 있을 것이다. 길에서 만난 친척 아이에게 밥사는 게 잘못되었나!

우리는 식당에 들어갔다 나올 때, 서로 계산하려 한다. 서양의 더치 페이 문화가 아니다. 무상 급식은 우리의 문화다.

이전부터 우리 민족은 지나가는 나그네에까지 밥대접을 잘했다.

우리는 굿모닝 대신, 진지 잡수셨어요?, 밥묵었나? 식사했어요? 등을 말하는 사람들이었다.

2) 그리고 부잣집 아이들에게까지 줄 필요가 있느냐고 하는데, 그 부잣집 아이들의 부모는 세금을 내지 않는가? 그들이 낸 세금에서 그 자녀들에게 급식이 이루어질 것인데, 이것이 어떻게 무상 급식인가?

3) 하나님은 끊임없이 우리에게 먹을 것을 제공해주신다. 해와 물과 토양은 누구의 것인가?

4) 고교생 또는 대학생까지도 급식이 필요하다고 본다. 스스로 돈을 벌 수 있는 나이가 되기까지 급식해주어야 한다.

5) 이 아이들이 자라서 군대에도 가고, 또 자녀도 출산한다. 아이들의 건강은 곧 국력이다. 그리고 직업을 가지고 국가에 이바지한다. 무상 급식을 비판하려면 군인들도 돈 내고 밥먹게 해야 한다. 국방이 의무인 것처럼, 교육도 의무다. 그러기에 피교육자에게 밥을 주어야 한다.

6) 밥상 교육은 아주 중요하다. 사랑이다. 예수님께서도 제자들에게, 그리고 청중들에게 먹을 것을 주셨다.

7) 정치는 철학이며, 신학이다. 이것이 잘못되면 이렇듯 엉터리 일을 한다. 포퓰리즘은 아이들에게 해당되지 않는다.
세금을 거두어서, 부자는 더 내고, 가난한 사람은 내지 못해도, 그 자녀들이 함께 먹게 해주어야 한다. 그러면 나라가 건강해진다.
 그 혜택은 부자에게도 돌아간다. 그들의 사업체에서 일할 아이들이 결국은 서민들의 자녀들 아닌가?
무상급식을 반대하는 자들 중에 개신교인이나 천주교인들이 있다 한다. 이들은 도대체 성경을 읽은 자들인가?
 예수님께서는 목마른 자들과 배고픈 사람들을 향해 값없이 와서 먹으라 마시라 하셨다. 예수님께서 십자가에서 달리실 때 한나라당의 그대들은 어떤 값을 치러드렸는가!
무상이라 쓸 수 있는 분은 오직 하나님 한 분 뿐이시다. 우리는 모두 하나님께로부터 받은 것에서 다시 내놓을 뿐이다.

8) 지금 방식으로 무상 급식을 할 경우에 대상 아이들이 받을 상처를 생각해야 한다. 그래서 전체적 무상 급식 형태가 필요하다. 최소 초중고까지 모두 무상급식해야 하고, 의무 교육이 필요하다.

　교육은 사적 영역만이 아니고, 공적 영역이다.

9) 재정 확보는 다른 영역보다 아껴야 하고, 우선적이어야 한다. 이 나라에서 가장 중요한 자원은 사람이다. 그래도 부족하다면 교육세를 더 내게 하면 된다. 다만 그 형태는 직접세이면 된다. 종합 부동산세 등에 물리면 된다. 더 많이 혜택 받는 부문에 세금을 물려 해결하면 된다. 그 이익이 그들에게 돌아갈 것이므로.

120. 박태환 선수와 과외

　어떤 사람들은 이상론이라 하면서 사교육을 없애야 한다고 하고, 과외 문제를 지적하기도 합니다. 그런데 이번 베이징 올림픽에서 금메달을 딴 박태환 선수를 보면 사교육이 얼마나 중요한가를 잘 알 수 있습니다.

　박태환 선수에게는 전담팀이 따로 꾸려져서 분야별로 체계적이고 과학적인 훈련을 받았습니다. 말레이시아 등지에 가서 전지 훈련도 집중적으로 받았습니다.

강남의 아이들이 해외 유학을 가거나, 연수를 받거나, 또는 특출한 과외 교사에게서 학습받는 것이 고액의 문제로 인해 세간의 입에 오르내립니다.

문제는 과외를 받는 데 있는 것이 아니라, 진정 그 능력을 계발하고자 하는 의욕이 있는 학생이라면 그가 필요로 하는 체계적이고 과학적인 과외를 받을 수 있는가 여부입니다.

과외를 받기 싫어하고, 공부에 관심도 없고, 적성도 되지 않는 학생을 억지로 고액 과외로 공부시키려는 것은 잘못된 것입니다.

그러나 이런 과외를 받아 자기를 계발시키고자 하는데도 불구하고, 가난하여 이런 양질의 교육을 받을 수 없는, 능력이 있는 학생들이 있다면 당연히 국가가 책임지고 이 문제를 해결해주어야 합니다. 이것이 국가 발전에 도움이 되기 때문입니다.

박태환 선수의 과외비는 그의 가족이 낸 것이 아니라, 국가가 부담했습니다.

사교육인데 결국 공교육이 된 것입니다. 즉 공교육이나 사교육에서 중요한 것은 양질의 교육을 적성에 맞게 원하는 학생에게 제 때 적정하게 공급해줄 수 있는가 여부입니다.

또 그 열매의 문제입니다. 성공 후 열매 독식은 경쟁을 비참한 것으로 만듭니다. 열매를 반은 가지고 반은 사회에 나누는 방식이 지속적 성장 가능한 사회를 만듭니다.

아리랑당은 이런 사회를 만들고자 합니다.

121. 전 고교 기숙사 확대 방안

 강남의 집값 문제를 해결하는 데 필요한 또 하나의 방법이 바로 전교생을 기숙사에 입사시키는 고교 제도의 개선이 필요하다고 봅니다.

 강남에 비싼 곳에 부모들이 이사할 필요없이 자녀만 기숙사에 들어가게 할 수 있다면 서울 집값 문제도 또 다른 방식으로 풀릴 수 있고, 사교육 문제도 어느 정도 해결 가능하며, 교육 불평등 문제도 해소할 수 있습니다.

 민족사관고의 경우 모든 학생이 기숙사 생활을 하고 있고, 이로 인해 거두는 효과도 상당하다고 보고 있습니다. 지방 학교들의 경우 평준화 이후 학생들을 기숙사에서 집중적으로 훈련시키면서 거두는 효과가 입증되고 있습니다.

 단순히 행정도시등을 통해 분산 정책을 펴는 것만이 아니라 문제가 생긴 그곳에서 직접적으로 문제를 해결하는 방식이 필요하다고 봅니다.

 여기에 아주 필요한 것이 기독교 사학의 발전이기도 합니다. 하나님의 말씀에 부합한 기독교 사학들이 더많이 생겨나야 합니다. 또 기독교 교사들이 대폭적으로 양성되어야 합니다.

 학생들이 학교 생활을 중심으로 움직일 때 학교 이념과 교사의 상태가 더큰 영향을 미치기 때문입니다.

122. 1만개 도서관을 통한 교육 개혁

 공교육 개혁, 사교육 개혁 등을 외치지만 우리가 여러 차례 논의했던 것처럼 전혀 다른 방식을 통해 한국 교육의 문제점을 근본적으로 고쳐갈 필요가 있는데 이것이 도서관 개혁을 통한 방법입니다.

 이는 서민 자녀 교육, 미취업 고급 인력 활용 등의 문제도 아울러 해결합니다.

1) 1만개 도서관 건설

전국적으로 1만개의 도서관을 건설해야 합니다. 일종의 한국판 뉴딜 정책입니다. 1만개의 도서관을 건설함으로써 관련 지식 정보 산업들도 아울러 발전하게 됩니다.

2) 양질의 교육 프로그램 운영

 도서관에 미취업 대졸자나 퇴직 고급 인력을 활용하여 고급 강좌를 마련하고 서민의 자녀들이 이 강의를 무료나 저렴한 가격에 수강할 수 있는 체제를 구축해야 합니다.

 기존 사설학원은 그냥 놓아두고 이들을 이용할 부잣집 자녀들은 그곳을 이용하도록 하고, 서민의 자녀들에겐 도서관에서 사설 학원보다 뛰어난 강좌가 시행되도록 해주어야 합니다.

 특히 외국어 교육도 여기에서 이루어지도록 해야 합니다. 과학이나 수학 교육도 실험실까지 마련해주어 도서관이 명실상부한 지식 정보 센터가 되도록 해주어야 합니다.

3) 도서관의 식당 개혁

도서관을 이용하는 사람들에게 양질의 식사를 저렴한 가격에 제공해야 합니다. 저소득층 자녀들은 여기에서 무료로 식사하게 해주어야 합니다. 저소득층 자녀들이 방학 중에는 식권을 받아 인근 식당에 가서 밥을 먹도록 하는 것은 참으로 잔인한 방법입니다. 이들이 도서관에 가서 밥도 먹고 공부도 하도록 해주어야 합니다.

도서관에서 파는 식권을 아이들에게 제공해주면 된다. 이 식권은 누구도 구별할 수 없는 것이어야 한다. 그러면 이 아이들은 부끄럼없이 식사할 수 있다.

123. 지방 학교부터 고교 입시 부활시켜야 합니다

고교 평준화를 통해서 전체적으로 볼 때 이익을 본 쪽은 서울의 강남 등 중심지이고, 지방으로 갈수록 더큰 손해를 보고 있음이 분명합니다.

이제는 고교 평준화를 대대적으로 개선할 필요가 있습니다. 지방 학생들의 경우, 서울 강남 등의 학생들에 비해 훨씬더 공부에 투입하는 시간이 적을 수 밖에 없습니다.

이미 강남 등지는 특수목적고 등으로 인해 실질적으로는 고교 입시가 부활된 상태로서 이와 관련한 사교육이 이들 학생들을 선도함으로써 강도높은 학습 활동이 이루어지고 있지만, 이에 반해 지방 학생들은 고교 평준화 이후 강남 등지에 비해 학습 강도가 떨어질 수밖에 없습니다.

그래서 점차 더욱더 서울로, 강남으로 아동들이 모여들게 되고 집값도 상승하게 됩니다.

따라서 지방 학교부터 고교 입시를 부활하고 더 나아가서는 중학교 입시도 부활해서 경쟁 체제를 도입하고 아동들이 학습에 열중하도록 인도해주어야 합니다.

다만 이 경쟁이 공정하게 이루어질 수 있도록 공교육과 함께 도서관을 중심으로 한 교육이 강화되어 저소득층 자녀들이 그 능력을 개발할 기회가 주어져야 합니다. 이 부분에 국가가 적극적으로 개입해야 합니다.

전교조 방식의 고교 평준화 전개는 결국 현재 벌어지는 교육 파행이 물밑에서 심화할 수밖에 없게 합니다.

공정한 경쟁은 아름다운 것입니다. 그리고 이 경쟁은 인생에서 필연적입니다. 다만 이 경쟁이 사랑을 위한 경쟁이여야 합니다. 내가 능력을 키우지 않고서 어떻게 남을 도울 수 있습니까?

내가 의사로서 강도높은 훈련을 받지 않고서 어떻게 환자를 치료할 수 있습니까? 교육은 바로 이런 봉사를 위한 능력 개발, 더 능력있는 사람이 더많이 봉사할 수 있는 시스템을 만들어주는 경쟁구조를 만들어주는 것이며 이것이 교육 개혁의 중추 사항입니다.

124. 가출 청소년, 중퇴 청소년들을 위한 대안

저는 가출을했어요
20살언니랑 16살제또래랑요
이렇게 3명입니다....
.... 막상 가출을하니 잘곳도없고.. 쉴곳도 먹고....
..... 정말힘드네요.....
.... 좀오래머무를것같은데요...
.......여기서   좀....있다가   가면안될까싶어서..이렇게글을올립니다.........   답변부탁드려요   ...3명도   받아주나
요?....(2004.10.4.11:29)

가출을 햇는데 돈도 없고 어디서 머물러야 할지 모르겟어여 도와주세요(2004.11.18.21:02)

전 16이고요. 현재 미국에 살고 있습니다.
아빠는 4개월전 근육암이라는 아주 희귀한 암으로 돌아가셨고요.
우리 가족은 이제 엄마, 저, 동생인데요. 처음엔 우리 모두 힘들었는데 엄마가 4개월만애 재혼을 한다 하네요. 그런데 그 상대는 엄마보다 10살이나 많은 노인네랍니다. 사람 성격은 좋지만 엄마가 4개월만에 재혼을 한다는 것에 대해서 정말 실망이고 화가나고.. 정말.. 분노가 폭발해서 어쩔 수가 없어요.

얼마전까지만 해도 재혼같은거 안한다 했거든요? 그리고 아빠가 살아계셨을 때는 우리 집안이 넉넉해서 엄마가 일도 안하고 편히 하고 싶은대로 하면서 살았어요. 그런데 그렇게 살다가 이런 갑작스런 상황이 적응이 안돼는지 재혼을 한대네요. 전 지금 엄마가 너무 싫어요. 수치스럽고 불쾌해요. 엄마가 돈만 밝히는 여자로밖에 보이지가 않아요. 그래서 오늘 한바탕 싸웠어요. 제가 계속 이런식으로 나가니까 엄마도 이젠 저에게 더이상 미련 없다면서 나가래요. 그리고 엄마는 결혼할거래요. 제가 상관할 바 아니고 엄마 인생이래요.

그래서 맘같아선 정말 한국가서 어디 청소년 쉼터에서 살고 싶어요.
전 엄마가 도저히 용서가 안돼요. 만일 엄마가 결국은 재혼을 하지 않는더라도 난 결혼할거다, 니 인생아니니 상관마라, 나가라... 이런 말을 했다는 것이 용서가 안돼요.

그래서 지금 한국에있는 청소년 쉼터들을 알아보고 있는 중인데 3개월까지밖에 있지 못한다는걸 알고 또 불안하네요. 정말 엄마랑 살기는 싫은데 한국가서 저 혼자 살 수도 없고... 아직 미성년잔데 일자리를 구할 수도 없고... 공부도 해야하고.. 엄마도 진심으로 한 말 같애요. 더이상 저한테 미련 없고 제가 재혼 반대하니까 그냥 저 내보내고 그 늙은이랑 편히 살고싶을거에요. 저도 그런 엄마랑 같이 살 맘 없구요. 저같은 경우는 어떻게 해야할지 좀 알려주세요. (2004.8.16.08:08)

안녕하세요 ,, 저는 13세 가출한 소녀 입니다 ..
막상가출해보니 갈데는 없고 그렇다고 해서 집에 들어가는건 더더욱 싫고 ,,

그래서 청소년 쉼터에 가고 싶은데 , 되도록임 서울과 떨어진 곳에 가고 싶습니다.
질문 ..
1. 가출한아이들도 학교에 다니게 되나요 ?. 교복이나 학비는 어떻게 해요 ??
2. 옷이나 학용품 같은거 있자나요 .. 그런건 어떻게 해요 ?? 지금 옷이 입고있는 한 벌 밖에 없는데 ..
3. 서울에서 전주까지 어떻게 가요 ?? 지금 돈도 얼마없는데 ..
4. 혹시 제 또래 아이들도 있습니까 ???
이게 궁금해요 ,, 되도록임 빨리 답장 해주셨으면 좋겠어여 ,, ^^
(2004.10.8.11:35)

안녕하세여....
선생님이...ㅠ.ㅠ
저 나리여..ㅠ.ㅠ 16살 ....ㅜㅠ.ㅜ
요즘에는 가출이 습관이된것같아여..ㅠ.ㅠ
어떻게 해야할질 잘모르겠어.ㅠㅠ.ㅠ
엄마랑 잘지내고 싶은데두 .ㅠ.ㅠ
잘 않돼여...ㅠ.ㅠ
어떻게 할지 잘모르겠어여.....ㅠ.ㅠ
엄마가 이젠 포기조차 해버릴정도에여..........ㅠ.ㅠ
전주에 와서 생각이 나서,,ㅠ.ㅠ
들어온거에여.......ㅠ.ㅠ
지금은 터미널 쪽 겜방이에여...ㅠ.ㅠ
선생님 저 어떻게해여...ㅠ.ㅠ
해결책좀......................................ㅠ.ㅠ (2004.10.8.12:30)

　가출청소년 쉼터들에 올려진 여러 사연들은 우리를 슬프고 가슴아프고 답답하게 만든다. 이는 우리가 반드시 풀어야 할 숙제다. 위에서 보듯이 우리 사회에 여러가지 이유로 가출을 하거나 학업을 중도에 포기하고 방황하는 청소년들이 있다.

이들에 대한 다방면의 대안이 필요하다.

몇 년 전 부산시가 한해동안 수영구 남천동 금련산청소년수련소 입구에 설치한 청소년 쉼터에 입소한 청소년 292명(전원 여성)중 210명을 대상으로 조사한 결과 가정문제로 인한 가출이 47.1%로 가장 높았고 이어 친구 문제 32.9%, 학교문제 11% 등의 순으로 나타났다.

응답자 평균 가출횟수는 2-5차례가 55.2%로 절반이 넘었고 1차례 16.7%, 6-10차례 14.3%, 11차례이상 13.8% 순으로 조사됐다.

또 첫 가출 시기는 중학교 2학년때가 33.8%로 가장 많았고 중1(26.2%), 중3(18.6%), 고등학교(14.8%) 순으로 집계됐으며 초등학교 때 가출한 입소자도 6.7%나 됐다.

이들은 또 가출 후 주로 친구집(25.7%)과 자취방(13%), 길거리(13%), 술집 등 취직처(12.9%), 여관(10.5%) 등지에서 생활했다고 응답했다.

응답자의 21.9%는 성폭행을 당한 경험이 있으며 성폭행한 사람은 주로 취직한 술집의 손님이나 친인척, 남자친구 등으로 나타났다.

위에서 본 바와 같이 여러 이유로 가출이 계속되고 있고, 가출 후 고통이나 폐해도 심각하다. 한 사람은 온 우주보다도 소중하다. 이 한 사람을 창조하시기 위해서 하나님은 온 우주를 만드셨다. 그런데 많은 것을 사람들은 하나님의 모든 사람에 대한 사랑하심을 망각하고서 자신의 의무를 다하지 않고 있다. 이는 곧바로 모든 것을 우리에게 주신 하나님의 진노를 유발하는 행위로서 그 가진 것을 모두 잃게 되는 비극적 결말, 즉 이제 모든 것을 가진 사람들도 가출된 처지의 청소년들이 맞게 되는 고통을 맛보게 하시는 심판이 기다리고 있다.

따라서 우리는 적극적으로 이 문제를 풀어야 한다. 우리에게 닥친 문제는 다양하다. 미혼모 문제, 고아 문제, 빈곤 가계 문제, 가정 불화 문제, 가출 청소년 문제 등등. 이 모든 문제는 서로 서로 연결의 고리를 가지고 있기도 하다. 그리고 우리의 해결을 기다리고 있다. 하나님을 믿는 사람은 문제 해결사여야 한다.

가출 청소년, 중퇴 청소년들의 문제를 풀기 위한 방안을 찾아 보자.

I. 거시적 관점

자본주의 사회의 폐해, 개인적 문제 이런 것들이 복잡하게 얽혀 이런 문제가 생겨나는데 자본주의 사회의 폐해적 관점에서 보는 것이 거시적 방법이라 하겠다.

'적자 생존의 법칙에 의해 가난해진 사람은 도태되어야 하고, 능력없는 사람은 사회의 짐이 되어선 안된다. 사회에 적응하지 못하는 청소년은 사라져야 한다. 이들을 돌보아선 안된다.' 이런 관점을 가진 사람도 있을 수 있고 때론 직접적으로 이런 관점은 표명하진 않지만 상당수의 사람들이 간접적으로 이런 관점을 유지하면서 미온적으로 이런 문제에 대처하는 것이 현실이다. 그러나 문제는 자본주의 사회가 인류 사회의 미래를 결정짓는 최대 변수가 아니라는 점이다. 이 사회를 포괄하시는 분의 뜻이야 말로 가장 거시적이며 미시적인 요인이 된다. 따라서 하나님의 뜻을 헤아리는 것이야말로 모든 문제 해결의 출발점이 된다.

1. 하나님의 뜻

1)지극히 작은 자 하나에게 한 것이 곧 하나님께 선행한 일이 된다.

이 말씀으로 볼 때 가난한 자, 지극히 작은 자들을 무시하고 그들의 문제를 간과하는 사람들에겐 큰 재앙이 뒤따른다. 이는 하나님의 입장에서 볼 때 이 사회를 파괴하는 요인이 되기 때문이다. 물질이 부족해서 어려운 사회가 아니라, 사랑이 부족해서 어려운 사회가 된다. 하나님은 팔이 짧아서 우리를 구하지 못하시는 것이 아니라, 우리의 죄악으로 인해 우리를 구하시지 않으신다.

2)길 잃어버린 한 마리 양을 찾으시는 하나님
위의 말씀과도 상통하는데 하나님은 목자 옆에 잘 있는 아흔 아홉마리 양을 놓아두고 길 잃은 한 마리 양을 찾아나서시는 분이시다. 가출 청소년이야 말로 길 잃어버린 양이다.

3)탕자를 받아들이시는 하나님

예수님은 탕자 비유를 하신 적이 있으시다. 아버지를 떠나 모든 것을 탕진하고 돌아왔지만 그 형과는 달리 그를 너무도 기쁘게 받으시는 아버지와 같으신 하나님이시다. 사람들은 끊임없이 책임과 과오를 따지지만 하나님은 그들이 겪는 고통, 돌아옴에 더 관심이 많으시다.

 이런 점들로 볼 때 우리가 가출 청소년의 문제에 적극적으로 대처해야 할 이유는 당연하다.

4)구하라 주실 것이요 두드리면 열릴 것이라

하나님은 우리가 문제 해결을 위해 의롭게 구하는 것에 대해 반드시 응답하신다. 우리가 움직이면 요단강은 갈라지게 된다. 하나님은 이런 일들을 해결할 의로운 사람들을 찾고 계신다.

5)의인 열명이 없으면 망한다.

결국 우리가 이런 일에 대하여 관심이 없고 해결하려고 나서지도 않는다면 내가 바라던 평안마저도 송두리째 사라진다. 내자식만 귀하게 여긴다 할지라도 결국 하나님은 그 자식의 살을 먹게하는 저주를 내리신다.

2. 자본주의 사회의 폐해와 구조적 대안

 자본주의 사회는 필연적으로 경쟁적이며 따라서 이 경쟁 자

체가 유발하는 부대적 효과, 그리고 이 경쟁에서 패배한 자들
과 그들의 자녀들이 겪는 고통은 지대하다.

따라서 이를 그대로 놓아둔다면 오늘날 우리가 목도하는 온
갖 문제는 더욱더 커지고 이는 곧바로 하나님의 진노를 초래
하게 된다. 그래서 이 문제를 풀어야 한다.

1)경쟁

경쟁은 필요하다. 그러나 이것이 원칙없는 무한 경쟁, 약자의
핸디캡이 영속되어지는 경쟁이 되게 만들어선 안된다.

한 달란트, 두 달란트, 다섯 달란트 가진 사람들은 경쟁했다.
하지만 이 경쟁은 자기 자신과의 경쟁이었다. 보상도 거기에
따라 주어졌다. 하지만 자본주의 사회의 경쟁은 상대적이며 제
로섬 게임에 가깝다.

이 문제를 풀지 않는다면 위에서 열거한 모든 문제들은 영속
되어진다. 따라서 이 문제를 풀기 위한 노력을 경주해야 한다.
지혜가 필요하다.

경쟁을 배제하면 사회주의가 되고 게으른 자들이 양산된다.
경쟁을 방치하면 자본주의의 폐해가 나타난다. 따라서 경쟁은
하나님 안에서 의롭게 관리되어야 한다.

위에서 본 바대로 자신의 능력을 최대한도로 활용할 수 있는
시스템을 만드는 것이 필요하다. 타인과의 경쟁이 아니라 자신
과의 싸움에서 승리할 수 있는 경쟁 시스템을 만들어야 한다.
자본주의 사회의 폐해로 인해 외면적으로는 상대적 경쟁이 남

아 있을 수밖에 없으나 이런 시스템을 사회 전반에 심어간다면 우리 사회의 상당 부분의 문제는 풀어진다고 본다.

 사람들은 무엇을 위해서 경쟁하는가? 먹고 살기 위해서이고, 살아남기 위해서다. 먹고 살기 위해서 경쟁하는 것은 노동의 저주와도 밀접한 관련이 있다. 살아남기 위해서 하는 경쟁은 인간들의 악함과 또 관련이 있다. 이는 사탄과도 깊은 관련이 있고, 인간들이 거듭나지 못하면 해결받지 못하는 문제도 된다.

 사회주의의 실패가 여기에 있다. 거듭나지 못한 인간들은 능력에 따라 일하거나 필요에 따라 가져갈 수 없다. 그래서 모든 출발은 하나님에게서 이루어져야 하고 모든 과정도 그래야 하고 모든 마침도 그래야 한다. 이것을 배제한 인본주의적 철학이나 정치 공학은 반드시 실패하게 되어 있다. 우리 사회의 상당 문제도 여기에서 연유한다.

 그러나 또 반대로 하나님을 알고 있다고 생각하면서도 잘못 이해한 사람들은 위에서 본대로 타인의 고통에 대해 둔감하다. 이들은 결코 하나님의 사람이 아니며 이들은 사회적 문제를 치유 불가능하게 만든다.

 선행은 개인적인 것만도, 사회적인 것만도 아니다. 선행은 선행이며 미시적이면서 동시에 거시적이다.

2)구조적 대안 : 장단주기 재분배의 필요성
 경쟁의 필연적 결과를 장단주기 재분배를 통해 해소함으로써 사회 전체의 건강성, 통합성을 유지하는 노력이 필요하다. 이스라엘에 주신 하나님의 법은 이를 목표로 하였다.

오늘날에도 우리 실정에 맞는 적용이 필요하다.

패배자 및 그 자녀들에게 단기적으로 생활 수단을 공급하고, 장기적으로 생산수단을 공급해주는 방식이 필요하다. 이 시스템이 개인적 차원이 아니라 사회 구조적으로 제도화되어야 한다.

현재도 사회복지분야에서 이런 노력이 계속되고 있지만 보다 근원적 전략이 필요하다.

생활 수단의 공급 방법으로써 도서관을 이용하여 빈곤 계층 청소년들에게 식사까지 제공하는 방안이 모색되어야 한다. 이 방법은 가정의 교육비 문제를 완화해줌으로써 가출을 사전에 방지하는 효과를 내주며 또 가출한 청소년들도 도서관을 중심으로 새로운 생활을 해갈 수 있게 해준다는 점에서 바람직하다.

저소득층 가계에 주거 시설을 무료로 제공해주는 사업을 확대해야 한다. 이도 가정의 문제를 해결해줌으로써 가출 문제를 획기적으로 줄이는 효과가 생겨나게 만든다.

II. 미시적 관점

거시적 관점에서 구조적으로 문제를 풀어가는 것과 함께 미시적 관점에서 응급 처지를 계속해야 한다.

개인적으로 주변의 어려운 처지에 있는 이런 청소년들을 돌보아야 하고, 각 가정이 어려운 구조 속에서도 최선을 다해 청소년의 보호막이 되어주어야 한다.

또 좀더 뜻이 있는 사람들은 함께 힘을 모아 관련 단체를 조직하여 이들의 쉼터가 되어주어야 한다.

그리고 더 나아가 정치적 세력을 형성하여 구조적 문제를 해결하는 데 앞장서야 한다.

125. 고교 등급제

일부 사립대들이 고교 등급제를 실시했다. 이는 그들로서는 당연한 일이다. 자본주의 체제, 시장 경제 제제에서 교육이 무슨 정의를 지켜야 하는가?

자본주의를 이야기하면서 정의를 이야기해선 안된다. 그런 관점에서 보면 고교등급제는 당연하다. 이들에게 있어선 고교 등급이 높은 곳이 어느 지역이겠는가? 당연히 대부분 서울이고, 강남이다.

고교 등급제를 실시하면 이들 사립대에는 이런 장점이 있다. 단순히 우수 학생을 뽑는 차원을 넘어 우수 가정, 우수 기업, 우수 권력을 학교로 끌어들일 가능성이 높아진다. 이것이 무슨 이야기냐 하면, 지금의 상태로 보아 강남에 거주한다는 것은 재력, 권력 등이 상대적으로 뒷받침해주는 아이들일 가능성이 높다는 점이다. 이러한 재력과 권력을 바탕으로 이 아이들은 공부에 집중할 수 있었고, 지원받을 수 있었고 그래서 성적이 높다.

이런 아이를 뽑으면 장학금을 지불할 일 보다는 학교 발전 기금을 거둘 가능성이 높아진다. 이들은 사회에 진출해서도 학연 지연을 통해 이 사회의 부와 권력을 독점할 가능성이 높다. 따라서 가난한 지역의 우수한 학생을 뽑기보다는 이런 지역의 우수 학생을 뽑는 것이 장기적으로 학교 발전에 도움이 된다는 점이다.

이들에게 있어서 교육은 그저 이 세상에서의 성공을 향한 수단일 뿐이다. 종교와 도덕과 철학은 회칠하는 데 필요한 수단일 뿐이다.

그러나 하나님은 좌시하시지 않으신다. 특히 이번에 연세대 같은 경우는 하나님의 이름을 빙자하여 만들어진 학교이기 때문이다.

가난한 자들을 위하여 복음을 전하려 예수님은 이 땅에 오셨다. 가난한 자들이 항상 버림받지 않도록 하는 것이 하나님의 뜻이시다.

고교 등급제 실시적 시도는 앞으로 모든 분야에서 지속되리라 확신한다. 이 세계가 망하기 전에 이런 시도는 사탄의 흉계에 의해 계속되어진다.

이들은 전체가 어떻게 되어지든 관심이 없다. 유영철도 자식 사랑에 있어서는 이들과 다를 바가 없다.

이런 자들이 권력과 부를 독점할 때 그 사회는 필멸한다. 이

것이 역사의 법칙이다. 하나님이 좌시하시지 않기 때문이다.

하나님은 공의로우셔서 반드시 이 세상을 변화시키신다.

"궁핍한 자가 항상 잊어버림을 당하지 아니함이여 가난한 자들이 영원히 실망하지 아니하리로다"(시 9:18)

"왕의 능력은 공의를 사랑하는 것이라

주께서 공평을 견고히 세우시고

야곱 중에서 공과 의를 행하시나이다

너희는 여호와 우리 하나님을 높여

그 발등상 앞에서 경배할찌어다

그는 거룩하시도다" (시99: 4-5)

이들은 진정 해야 할 일은 하지 않는다.

왜 고교간 성적에 우열이 생기겠는가? 자본주의 사회에서는 모든 것이 한 곳으로 집중되게 마련이다.

그래서 중앙과 지방의 격차가 생기고, 빈부 격차가 생긴다. 이를 해소할 수 있는 길은 지방인, 가난한 사람 등 차별적 위치에 놓인 사람들, 특히 그들의 자녀들을 교육하여 그들이 지적 경쟁력을 확보하도록 하는 데 있다.

그런데 교육 주체 중 하나인 사립대학들이 이런 짓을 하고 있다. 따라서 정부가 의로와야 한다.

공의로운 정부가 들어서서 적극 개입하는 것이 하나님의 뜻이시다. 이를 위해선 공의로운 정당이 집권해야 한다. 하나님을 경외하는 정당이 집권해야 한다.

집중된 자는 소수이고 여기에서 배제된 자는 다수다. 이것이 바로 인재 풀의 축소를 가져오고 한 사회가 근친 상간한 지도 권력에 의해 무너져가는 패러다임을 초래한다.

하나님이 가난한 자들을 돌보라 하신 것은 바로 이 점을 극복하기 위해서 주신 지혜이시다.

이런 사회만이 영구한 경쟁력을 갖는다.

아리랑당은 이런 사회를 만들고자 한다. 민주 사회가 독재 사회보다 경쟁력이 높다. 그런데 진정한 민주는 정치적인 것과 함께 경제적이어야 한다.

126. 영국의 교육정책과 아리랑당 정책

빈부격차로 인한 생애 격차를 줄이기 위한 초기 전략의 중요성을 영국은 인식하고 있다.

한국의 장기적 발전 전략도 여기에서 찾아야 한다.

----

1)영 총리 "2살 때부터 조기교육 시스템 갖춰야"

(런던 AP=연합뉴스) 토니 블레어 영국 총리는 2일 2세 아동 전체에게 취학전 교육을 제공하는 국가적 시스템을 갖춰야한다고 강조했다.

블레어 총리는 카디프에서 열린 전국교장연합회(NAHT) 연례 회의에서 유아 교육을 학교에 들어가는 5세부터 실시하는 것은 "영국의 미래에 더 이상 맞지 않는다"면서 "조기에 양질의 교육을 제공하는 것의 중요성은 이제 명백한 사실"이라고 밝혔다.

그는 "연구에 따르면 생후 22개월 단계에서조차 서로 다른 사회적 배경을 가진 어린이들은 발달에 큰 사이를 보이며 이 차이는 시간이 갈수록 점점 더 넓어진다"면서 "취학전 교육은 어린이들의 발달에 강력한 영향을 미치며 최상의 조기 교육을 받

았을 경우 그들은 더욱 많은 것을 성취할 수 있다"고 지적했다.

영국 정부는 이미 지난 3월 2세 아동 6천명을 대상으로 취학전 교육을 시범 실시할 계획을 발표한 바 있다. 이 제도가 전국적으로 확대될 경우 소득과 자산이 기준 이하인 빈민층이 혜택을 볼 것으로 전망된다.

한편 영국은 블레어 총리가 집권한 지난 97년부터 수 백만 파운드의 돈을 들여 빈민 계층의 아동에게 교육과 보육, 복지를 제공하는 '슈어 스타트' 정책을 실시하고 있다.

ykhyun14@yna.co.kr

127. 먹든지 마시든지 무엇을 하든지 주를 위하여 하라

우리는 왜 공부해야 하고, 왜 교육을 시켜야 하는가! 이 근본적 질문 위에 서지 않는다면 우리는 조만간 길을 잃어버릴 것입니다. 반석 위에 집을 짓듯이 지어야 합니다.

우리의 삶은 우리를 위해 대신 죽으신 주님을 위해 사는 것입니다. 그분을 위해 그분이 꿈꾸시는 세상을 만들기 위해 살아야 하는 것입니다.

그래서 우리가 움직이는 교육이나 정치 영역에서도 우리는 주님을 위해 활동을 하는 것입니다.

정말 하나님께서 살아계시다면 반드시 그 살아계심을 우리의 교육 현장 활동에서 보여주실 것입니다.

그러면 만민이 알 것입니다.

주님께서 살아계시다는 것을.

그러면 우리는 전도자가 되는 것입니다. 복음을 땅 끝까지 전하는 전도자인 것입니다.

복음을 전해야 하는 사명은 모든 기독교인에게 있습니다.

우리는 교육 영역에서 복음을 전하는 것입니다.

그것도 실험적인 행태로 전하는 것입니다.

엘리야는 이방 제사장들 앞에서 하나님이 살아계시다는 것을 증명했습니다. 말로 증명한 것이 아니라 행동으로 증명했습니다.

구덩이를 파고 물을 집어넣고 하늘에서 내려오는 불로 하나님이 살아계시다는 것을 증명했습니다.

오늘날도 하나님께서 살아계시다면 불로 응답하실 것입니다.

우리가 그 분을 증거하는 교육에 불로 응답하실 것입니다.

설령 그렇지 않다 하실지라도 우리만 부끄러울 뿐입니다. 하나님이 때가 아니라고 응답하지 않으셨기 때문입니다.

그러나 만약 응답하신다면 이는 하나님이 살아계시다는 것을 증명하는 것이기 때문에 하나님께 영광이 돌려질 것입니다.

모세는 이집트 술사들과 겨뤘습니다. 말로 겨룬 것이 아닙니다. 능력을 보여주었습니다.

우리는 능력을 보여주어야 합니다. 하나님이 역사하심을 드러내야 합니다.

그러나 물 위로 걷지 않고는 물 위로 걸을 수 있다는 것을 증명할 수 없습니다.

베드로의 순종, 물 위로 걸으라 하시는 주님의 말씀에 따르는 순종이 없었다면 그는 하나님이 중력도 다스리시는 분이심을 증명할 수 없었습니다.

우리는 하나님이 살아계시다는 믿음으로 교육 현장에서 하나님을 외칩니다. 그분이 하라고 하신 정신과 뜻을 교육 현장에서 실천하기를 원하는 것입니다.

기독교인이라고 하는 많은 교육자들이 있습니다. 그러나 그들은 입으로만 그렇습니다. 그들의 행위에서 아브라함의 행위, 다윗의 행위, 다니엘의 행위를 찾아볼 수 없습니다.

그러나 우리는 교육 영역에서 아브라함처럼 행동하고, 요셉처럼 행동하고, 모세처럼 행동하고, 다윗처럼 행동하고, 다니엘처럼 행동할 것입니다.

아브라함은 이삭을 교육시켰고, 이삭은 야곱을 교육시키셨습니다. 자신이 만난 하나님을 자식들에게 알려주었습니다. 교육의 근본은 하나님을 아는 것입니다. 지식의 근본이 여호와를 경외함이라 하셨습니다.

이는 비기독교인을 배척하는 것이 아닙니다.

그저 우리 하나님을 드러내는 것입니다.

그리고 그 드러냄과 우리의 행동은 비기독교인들에게도 유익한 것입니다. 그들이 자신들의 창조주께로 돌아오게 하는 것이기 때문입니다

128. 인터넷 수능 강의와 관련하여

정부의 인터넷 수능 강의 정책이 가지는 문제점을 지적하는 뉴스다.1)

 하위 30% 가계는 컴퓨터 사는 비용, 교재 사는 비용을 어떻게 감당할 수 있나? 정부가 당연히 이를 지원해야 한다.2)

 경기도 가계의 인터넷 이용률3)을 보면 문제를 더 잘 알 수 있다.

----

1)121종에 23종 추가, 학년당 50종 달해 (2004/04/02 13:27 송고)

(서울=연합뉴스) 정성호 기자 = "사교육비 경감대책이 맞나요. 학원비 대신 들어가는 교재비가 만만치 않네요"

교육인적자원부가 망국적인 사교육비를 잡겠다며 내놓은 교육방송(EBS) 인터넷수능 강의에 대해 "교재가 너무 많아 비용이 많이 든다'는 불만이 나오고 있다.

EBS 강의교재가 방송교재와 인터넷교재로 이원화돼 있는 데다 수준별, 취약 분야별 '맞춤학습'을 가능케 한다는 뜻에서 많은 종류의 교재가 발간되면서 불안한 수험생들이 이것 저것 사다보니 교재비 부담이 만만치 않기 때문이다.

◆ '교재 너무 비싸요' 불만 = 재수생 김모(19)양은 "서점에 갔는데 왠지 불안해서 나온 교재를 대부분 구입했다"면서 "EBS 교재가

교과서처럼 여겨지다 보니 하나라도 안 사면 괜히 불안하다"고 말했다.

김양은 "필요한 걸 다 사니까 교재비만 7만원을 넘었고, 교재 말고 수능특강 참고서도 사야해 부담이 말이 아니다"며 "나온 교재들은 조금이라도 다 봐야할 것 같다"고 불만을 털어놓았다.

김양은 이어 "교재들이 다 나온 게 아니어서 앞으로 더 사야할 텐데 비용이 장난이 아닐 것 같다"면서 "학원비가 안 드는 대신 교재비가 많이 들어간다는 느낌을 지울 수 없다"고 덧붙였다.

한 학부모는 "EBS 수능강의의 취지는 좋지만, 재수생 딸이 학원도 다녀야 하고, 어제는 서점에 가서 책을 잔뜩 사오더니 EBS 접속이 안된다며 컴퓨터까지 새로 사자고 한다"며 근심어린 표정을 지었다.

그는 "장기적으로 돈이 절약될지 모르겠지만 안 사줄 수도 없고 하여튼 지금은 갑작스럽게 교육비가 많이 들어가 고민"이라고 말했다.

사정이 이렇다보니 "사교육비라는 이름의 돈은 줄어들지 모르지만 교재를 사다보니 결국 나가는 돈이 줄어든 건 아니다", "교재 구입비가 사교육비와 맞먹는다" 등의 볼멘소리도 나오고 있다.

◆ 뭐가 문제인가 = 수준별 맞춤학습이 가능하도록 한다는 EBS 강의 취지와 `모든 교재를 다 봐야하는 것 아니냐'는 생각에 교재를 사재기 할 수밖에 없는 수험생의 불안감이 엇박자를 내고 있다.

현재 EBS 강의교재는 방송교재 102종(1~3학년)에 인터넷 교재

19종 등 121종에 달한다. EBS는 추가로 이달 15일과 다음달 15일에도 14종, 9종 등 인터넷 교재 23종을 더 낼 예정이다.

학년별로 교재를 다 산다면 학년당 평균 약 28만원 정도가 드는 셈이다.

당초 취지는 중급 수준의 방송교재를 기본서로 삼고 상위권 학생은 분야별 고급교재로 심화학습을, 하위권 학생은 초급교재로 기초학력 보강을 하라는 것이었다.

교재 단가는 시중의 일반교재의 60% 정도로 싸지만 워낙 종류가 많은 데다 수능이 EBS 강의에서 출제된다는 정부 발표 탓에 교재들이 `바이블'처럼 여겨지면서 `몽땅 다 봐야하는 것 아니냐'는 불안감이 수험생들 사이에 퍼지고 있다.

교재가 너무 많아 수험생 혼란을 부채질하는 측면도 있다.

언어 영역 하나만 봐도 방송교재 3종에 `7차 언어 유형으로 시작하기'(초급), `고품격 문학 특강', `언어 종합', `언어 오답줄이기'(이상 고급) 등 7종에 달한다.

◆ 교재 다 볼 필요 없다 = 교육부 정보화기획과 관계자는 "수준별이라는 개념이 수험생 개개인에게 주관적으로 안 받아들여지는 측면이 있고 수능 강의가 무료다보니까 학부모나 학생은 교재도 무료로 줘야 하는 것 아니냐는 심리에 이런 불만이 생기는 것 같다"고 진단했다.

그는 그러나 "모든 교재를 다 볼 필요는 없다"며 "특히 EBS 강의 활용과 관련, 일선 교사들이 학습지도를 통해 학생 수준에 대한 진단을 해주도록 하는 후속 장학지침을 내려보내는 방안 등도 검토 중"이라고 말했다.

EBS 관계자도 "모든 교재를 다 봐야한다는 강박관념을 버리고 자기 수준과 필요에 맞는 책만 골라보도록 하면 될 것"이라며 "인터넷 강의는 언제든 볼 수 있는 만큼 친구들과 교재를 나눠서 산 뒤 나중에 바꿔 볼 수도 있을 것"이라고 조언했다.
sisyphe@yna.co.kr

2) 저소득층 학생에 교육방송비 지원 (2004/03/16 16:18 송고)

(제주=연합뉴스) 김호천 기자 = 제주도교육청은 16일 사교육비 경감을 위해 제주교육인터넷방송국이 교육방송(EBS) 수능 강의를 다운 받아 각 고등학교에 보급하는 다운로드 방식의 e-Learning 체제를 구축, 운영키로 했다.

이를 위해 교육청은 오는 23일까지 도내 총 30개 고등학교에 위성방송 수신기 및 케이블을 이용한 수신환경을 설치하고 31일까지 각 학교의 인터넷 통신속도를 현재 2Mbps에서 10Mbps로 증속한다.

또 고등학교 교사를 대상으로 수능방송 콘텐츠 제공 및 이용 방법에 대한 연수를 실시하는 한편 농어촌 및 저소득층 자녀 754명에게 인터넷 통신비 1억9천여만원을 지원키로했다.

특히 학교운영위원회의 심의를 거쳐 수준별 보충학습 과정도 개설, 해당 학교 및 인근 학교 교사나 외부강사를 활용하고 교대,사대 및 교직 이수 대학생을 보조교사로 활용할 수 있도록 했다.

이밖에 영어체험학습센터와 영어캠프를 운영해 학생들의 영어학습 요구를 충족시키고, 맞벌이 부부 등을 위해 방과후 탁아와 교육을 해주는 `초등 저학년(1~2학년) 방과후 교실'도 시범 운영한다.
khc@yna.co.kr

3) 경기도 가구당 월평균 교육비 46만9천원 (2004/01/13 11:18 송고)
(수원=연합뉴스) 김광호 기자 = 경기도내 각 가정에서는 교육비로 월평균 46만9천원을 지출하고 있는 것으로 나타났다.

도(道)는 13일 지난해 7월 14~23일 각 지역 1만6천724가구내 15세 이상 주민 3만9천485명을 대상으로 실시한 '도민 생활수준 및 의식구조조사(표본오차 5%)' 결과를 발표했다.

이 자료에 따르면 각 가구의 월평균 교육비는 46만9천원으로 2002년의 45만1천원보다 4.0%(1만8천원) 늘어났다.

용도별 교육비는 과외비가 21만8천원으로 전체의 46.5%를 차지했으며 35%는 학교수업료(유치원비 포함), 나머지는 교재비, 학습지비, 보충수업료 등 이었다.

학생 1인당 교육비는 28만2천원으로 전년도보다 4.8%(1만3천원) 증가한 가운데 역시 과외비가 46.5%(13만1천원)로 가장 높은 비중을 차지했다.

학교급별 학생 1인당 교육비는 취학전 어린이가 20만4천원으로 초등학생 20만1천원보다 오히려 3천원 많은 것으로 조사된 가운데 중학생 28만4천원, 고교생 35만5천원, 대학생 59만5천원이었다.

지역별로 보면 가구당 평균 교육비와 학생 1인당 평균 교육비 모두 성남이 62만8천원과 37만8천원으로 가장 높았다.

이어 과천(60만6천원, 35만7천원)과 고양(55만2천원, 33만원)이 2, 3위를 차지했다.

과외를 받는 학생 비율도 매년 높아져 지난해의 경우 2002년보다 0.9%포인트 상승한 76.8%로 나타난 가운데 학교급별로는 초등학생 82.5%, 중학생 77.0%, 고교생 58.6%를 기록했다.

평균적으로 도내 학생 10명중 7명 이상이 과외를 받고 있는 셈이다.

이와 함께 도내에서 결혼후 내집 마련까지 걸리는 기간은 6~10년이 31.2%, 4~5년이 18.1%로 나타났으며 전체 조사가구가운데 19.3%는 결혼이전에 내집을 마련한 것으로 조사됐다.

수돗물을 식수로 이용하는 가구 비율은 30.3%로 전년도의 25.1%보다 높아졌으나 정수기 사용가구 비율도 역시 33.8%로 전년도의 29.8%보다 높아졌다.

도내 가구당 월평균 소득은 252만2천원이었으며 시.군별로는 과천이 309만4천원으로 1위, 안양이 291만6천원 2위를 차지했으며 부채가구 비율은 군포 관내가 64.0%(도내 평균 50.7%)로 가장 높았다..

도내 평균 PC통신 이용률은 57.5%, 교통편의에 대한 불만족 비율은 49.8%로 조사됐으며 여가활용방법은 TV시청이 63.3%, 인터넷이 11.3%, 여행이 10.2% 순으로 나타났다.
kwang@yna.co.kr

129. 결식어린이에 아침도 제공해야 한다

영양은 학습 활동에 지대한 영향을 미친다.1) 아래는 2001.11.26일자 한겨레 신문에 보도된 내용이다.2) 당에서 지속적으로 관심을 가져야 할 정책 중 하나가 청소년들의 영양 문제다. 이는 교육 정책과 복지 정책이 교차되는 부분이다.

----

1) (뉴욕 =연합뉴스) 전세계 인구 3분의 1이 비타민과 미네랄 결핍을 겪고 있으며 특히 요오드 결핍으로 개도국 국민의 지능지수(IQ)가 최고 15%포인트 하락한 것으로 조사됐다.
캐나다 마이크로뉴트리언트사(社)와 유니세프(유엔아동기금)가 80개 개발도상국을 대상으로 조사, 2004.03.23일 발표한 '비타민과 미네랄 결핍(VMD)에 대한 세계 경과 보고서'에 따르면 전세계 인구의 3분의 1인 약 20억명이 비타민과 미네랄 결핍으로 인해 정신적, 신체적 발육이 부진한 것으로 나타났다.

이 중에는 특히 요오드 결핍으로 인한 정신 박약아가 1천800만명에 달했으며 상황이 가장 심각한 국가들은 인도(660만명)와 파키스탄(210만명), 에티오피아(60여만명), 방글라데시(60여만명)였다.
연구진은 보고서에서 요오드 결핍이 "거의 모든 조사대상국 국민의 지적 능력을 10~15% 포인트 정도 끌어내린 것으로 추정된다"고 지적했다.

철분 결핍 상황도 심각해 6~24개월 된 영유아의 약 40~60%가 정신적인 발육 부진 증상을 보였다. 가장 심각한 국가들은 5세 미만 유아의 80% 이상이 철분 결핍 증세를 보인 말라위와 모잠비크, 시에라리온, 베냉, 부탄, 부르키나파소, 브룬디, 에티오피아, 기니비사우였다.

연구진은 이 외에도 한해 비타민 A 결핍으로 어린이 100만명이 사망한다고 덧붙였다.

연구진은 이 같은 상황을 타개하기 위해 현재 전세계적으로 소금에 요오드 첨가를 권장하는 것처럼 밀가루와 설탕, 간장 등 기본식품에 영양분을 첨가해 이를 보충하면 문제 해결에 도움이 될 것이라고 조언했다.

실제로 소금에 요오드 첨가를 권장함으로써 전세계적으로 요오드 결핍이 15~30 % 감소했다.

이 가운데 미국과 캐나다에서는 임신중인 태아의 신경계 발육을 돕기 위해 비타민 B 종류의 하나인 엽산(葉酸)을 밀가루 전(全)제품에 첨가하고 있으며 인도네시아와 요르단, 나이지리아, 남아프리카공화국도 이를 추진중이다.

캐롤 벨라미 유니세프 총재는 보고서에 대해 "어린이의 미래와 국민의 발육 문제를 걱정하는 사람들은 모두 관심을 가져야 한다"며 "문제의 규모는 비타민과 미네랄 결핍이라는 문제에 광범위하게 접근해야 한다는 것을 확인해 주고 있다"고 말했다.
kaka@yna.co.kr

2) 2001.11.26 한겨레신문

아침식사도 거를 정도로 가정형편이 어려운 18살 미만의 결식아동이 전국적으로 2천명 가까이 되는 것으로 나타났다.

보건복지부는 최근 점심과 저녁식사를 지원하고 있는 결식아동 가운데 1867명이 아침을 거를 우려가 있는 있는 것으로 조사돼 이들에게 아침식사를 제공하기로 했다고 18일 밝혔다.

복지부는 이들이 거주지 인근 사회복지관이나 단체 무료급식소, 지정음식점 등에서 아침식사를 할 수 있도록 주선하고, 여건이 허락치 않을 경우 도시락, 곡물 등 현물을 제공할 방침이다.

복지부는 올해 결식아동 급식지원비 172억원(지방비 86억원 포함)을 확보해 미취학아동 1087명에게 중·석식을, 초·중·고생 1만3131명에게 석식을 각각 제공하고 있다.
안영진 기자youngjin@hani.co.kr

130. 빈곤 학생 등록금 및 생활비 후불제 도입 (인재양성 지원)

신학기에 등록하려는 대학생마다 집안 형편에 따라 여러 어려움을 겪는 학생들이 많이 있다.

국가와 대학은 공조하여 빈곤 대학생의 등록금 후불제를 도입할 필요가 있다.

빈곤 대학생의 원하는 경우, 무보증으로 학생 신분 중에는 등록금을 내지 않고 다니다가 졸업 후 직장에 취업한 이후에 갚는 제도인데, 그 때도 여전히 가난하거나 취업이 되지 않는 경우에는 등록금 반환을 유예하거나 면제하는 방안이다.

국가는 이 비용의 80%를 부담하고 학교는 20%를 부담한다.

졸업생은 후에 등록금 외에 국가에 세금을 내고, 학교에는 발전 기금을 자발적으로 내는 구조를 만들어내면 된다.

이는 이스라엘의 면제년을 적용한 법이다.

매 7년에 형제가 빌려간 것을 그 형제가 가난한 경우에 탕감해준다. 하나님이 이런 탕감자에게 복을 주신다고 하셨다.

빈곤 학생들이 학생 시절 등록금과 생활비 부담 없이 공부에 전념할 수 있는 것은 그 능력 개발에 도움을 주는 것이며, 결과적으로 국가 경쟁력 강화에 도움이 되어 세금 징수 확대를 가져오며, 대학도 인재 배출을 통한 학교 질 제고, 학교 발진 기금 자발적 모금 확대를 도모할 수 있기에 아주 유용한 제도다.

현재 국민 중 30%는 저소득층이기에 20-30%의 대학생 정도는 이 혜택을 받도록 보장하는 것이 요청된다고 본다.

주님은 가난한 이들을 돌보는 이들을 돌보신다.

대학과 국가는 대학 내 기숙사 시설을 확대할 필요가 있다.

빈곤 대학생이 원하는 경우 누구나 무료로 이 시설을 이용하고 등록금 후불제처럼 그 비용은 처리하면 된다.

국가에서는 국채 발행, 대학 교육세 징세 등을 통해 이 비용에 소요되는 기본 자금을 마련할 수 있다.

아리랑당 창추위에서는 이 정책을 기본 정책으로 추진할 계획이다.

이 후불제는 중고등학교에도 당연히 적용되어야 한다.

여기에 소용되는 기금은 국가적으로 약 10조원 정도면 가능하다고 본다. 몇 년의 싸이클을 거치면 이 기금 자체가 확대되어 자체적으로 운영가능하다.

이는 믿음과 사랑으로만 실행할 수 있는 법이다.

만약의 경우 능력이 되는데도 갚지 않는 사람들이 발생할 수 있다. 하지만 이런 염려는 구더기 무서워 장 못담그는 것과 같다.

보다 선량한 많은 사람들이 있다.

또 설령 일부 사람이 능력이 있어도 갚지 않는다 하여도 대부분은 세금으로 환수될 수밖에 없다.

1인당 국민 조세 부담액이 연간 수백만원을 넘는 상황에서 수십년을 국가에 내는 세금을 합산해보면 등록금 및 생활비 후불제가 무리수를 두는 정책이 아님을 알 수 있다.

교육 공평을 통해 빈곤의 세습을 막는 것이 지식 정보화 사회라고 하는 21세기에 걸맞는 공평하고 정의로운 정책이다.

특히 인적 자원이 가장 중요한 자원일 수 밖에 없는 대한민국의 현실 속에서 교육 공평화 정책은 국가 정책 중 가장 중요한 정책이다.

131. 미운 일곱 살은 잘못된 이야기다

유치가 영구치로 바꿔지기 시작하는 시기가 7살 정도부터다. 그런데 우리 말에 미운 일곱살이라는 말이 있다.

아이들이 이빨이 빠지고 새로운 이빨이 나는 이 시기쯤 되면 말도 잘 안듣기 시작하고 개구장이가 되어서 말썽도 많이 피운다는 이야기다.

그러나 이는 아주 잘못된 이야기다. 마치 사춘기에 대해서 그런 것처럼.

아이 사무엘은 젖을 떼고 성전에 바쳐졌다. 우리가 말하는 미운 일곱 살 정도에 성전으로 갔을 것으로 보인다.

부모를 떠나, 이 미운 일곱 살에 성전으로 갔으면 얼마나 말도 잘 안 듣고 천덕꾸러기가 되었을까! 우리 식으로 생각한다면. 그렇다 전혀 그렇지 않았다. 천덕꾸러기는 오히려 엘리와 그의 두 아들들이었다.

하나님의 말씀에 순종하면서 성령 충만하게 자라난 7살 아이 사무엘은 훌륭한 사람으로 성장되어갔다.

그 어머니는 비록 1년에 한 차례 사무엘을 볼 수 밖에 없었지만 사무엘을 위하여 끊임없이 기도드렸고, 이 기도에 하나님께서는 응답하셨을 것이다.

임신 조차도 하나님의 은혜로 된 것이고, 태중에서도 사무엘은 엄마 한나의 기도를 들으면서 성장했고, 하나님의 말씀을 태중에서부터 들었을 것이다. 태어났을 때는 이미 많은 말씀과 기도들을 들었을 것이다.

세례 요한이 태중에서 예수님의 어머니 마리아가 오시자 기뻐 뛰었던 것을 기억해야 한다.

태중의 아이들도 성령 충만할 수 있는 것이다. 예수님의 제자들이 3년간 예수님과 생활한 후 성령 충만함을 받고 온 유대와 사마리아와 땅 끝까지 복음을 전하는 데 나서셨다.

사무엘은 미운 7살이 아니라, 성령 충만한 7살이 되었고, 그리고 성전으로 보내졌다.

우리의 아이들도 이렇게 키울 수 있다. 매일 성경을 읽으면 성령 충만해지고 지혜로워진다. 성령의 감동으로 씌어진 책이니 성경을 읽으면 지혜로워진다. 다만 한글 성경만으로가 아니라 주석까지 더해져서, 빌립이 간다게 내시에서 이사야서를 해석해주셨듯이 그렇게 해석을 더하면서 읽어주어야 한다. 그리고 아이가 글을 깨우치기 시작할 때는 스스로 읽어가면 된다.

좋은 성경 동화책들을 보도록 해주는 것도 좋다. 좋은 성경 그림책들, 성경 도표책들도 아주 유익하다.

132. 낙태는 대부분 악한 일이다

낙태 금지 법이 위헌 판정을 받았다. 그래서 이젠 합법적으로 낙태가 가능한 국가가 되었다.

아동 학대에 대해 과감히 처벌하는 사회로 바뀌어가고 있다.

이젠 아이들 체벌도 함부로 해서는 안되는 사회기 되어 가고 있다.

낙태는 태아를 죽이는 일이다. 태아를 죽이는 일은 합법화하면서, 아동 학대에 대해선 선한 척하려 한다. 이는 잘못된 일이다. 태아 살인은 있어선 안된다. 병이나 장애 등으로 인하여, 또는 극단적인 어떤 불의한 일, 예를 들어 강간으로 인한 임신 등의 경우가 아니고선 낙태는 여전히 형법으로 금지되어야 한다.

세계 요한은 자기 어머니 태중에서 예수님의 어머니 마리아가 오시자 성령 충만해져서 기뻐 움직였다.

패역한 자식은 동네에 이야기해서 돌로 쳐서 죽이라 하셨다. 그러나 패역하지 않은 태아를 단지 경제적인 이유 등으로 죽이는 것은 악한 일이다.

어떤 생명도 하나님 앞에서 귀한 것이다. 미혼모라 하더라도, 심지어 창녀의 아들이라 할지라도 귀한 생명이다. 그래서 솔로몬의 첫 재판은 두 창녀의 아들과 관련한 분쟁이었다.

133. 밭을 구한 연후에 아내를

밭을 구한 연후에 아내를 찾아서 가정을 이루라시는 말씀은 타당하다. 가정 경제에 있어서 튼튼한 자산은 결정적으로 중요한 요소 중 하나다.

자녀를 낳고, 자녀를 양육하고, 자녀를 교육하려면 자신이 필요하기 때문이다.

저출산 문제로 나라가 시끄럽다. 그러나 사실은 저출산이 아니다. 조선 성종 시대 인구가 300만명을 웃돈 정도였다고 하는데 이에 비하면 현재 남북한 인구가 거의 8천만명이 되므로 저출산 상태가 아니라 인구 과잉 상태라 할 수 있다.

남북 모두 전쟁을 치르고나서 많은 사망자가 나오면서 전후 과잉 출산했다고 볼 수 있다.

이제 우리는 결혼을 앞둔 세대에 밭은 제공해주어야 한다. 그렇게 해야 이들 세대가 부담 없이 결혼하고 자녀를 양육하고 이 사회에 이바지하는 인물들로 키울 수 있다.

[잠언 24:27]

네 일을 밖에서 다스리며 너를 위하여 밭에서 준비하고 그 후에 네 집을 세울지니라(개역개정)

134. 태교: 아빠의 목소리로 성경 읽어주기

태교는 아주 중요하다. 태에서부터 아빠와 엄마의 목소리로 성경을 듣게 하는 것이 아주 좋다.

여러 좋은 책도 읽어주면 좋다.

아빠가 틈이 날 때마다 태 중의 아이 옆에 다가가서 다정하고 은혜 가득한 목소리로 성경을 읽어주면 아이는 엄마 뱃속에서 기뻐할 것이다. 태중에서부터 성령 충만해질 수 있다. 성경은 성령의 감동으로 씌어진 책이므로 아이가 들으면서 성령 충만해진다.

세례 요한은 예수님의 어머니 마리아가 오자 엘리사벳의 태중에서 기뻐했다.

39 이 때에 마리아가 일어나 빨리 산골로 가서 유대 한 동네에 이르러

40 사가랴의 집에 들어가 엘리사벳에게 문안하니

41 엘리사벳이 마리아가 문안함을 들으매 아이가 복중에서 뛰노는지라 엘리사벳이 성령의 충만함을 받아

42 큰 소리로 불러 이르되 여자 중에 네가 복이 있으며 네 태중의 아이도 복이 있도다

43 내 주의 어머니가 내게 나아오니 이 어찌 된 일인가

44 보라 네 문안하는 소리가 내 귀에 들릴 때에 아이가 내 복중에서 기쁨으로 뛰놀았도다

45 주께서 하신 말씀이 반드시 이루어지리라고 믿은 그 여자에게 복이 있도다(누가복음 1장 중)

135. 기독교는 종교인가? 실제인가?

종교 교육으로서의 기독교 교육이 아니라, 하나님이 어떠하신 분이신지, 창조주께서 어떤 분이신지를, 그 기록물을 통

해서 가르쳐야 할 의무가 우리에게 있다.

성경은 인류가 가진 엄청난 지적 자산이다.

정말 하나님은 살아계시고 만물을 주관하고 계시는 것일까?

많은 기독교인들은 예배를 드리러 가서 그 점에 동의한다. 주기도문 속에서 고백을 한다.

그러나 예배드리기를 마친 후 자신의 삶의 현장으로 돌아왔을 때 거기에 하나님은 살아계시지 않는 것처럼 행동한다.

마치 마르다가 예수님을 향해 '주께서 여기 계셨더면 자기 동생이 죽지 않았을 것입니다.'라고 했다가, 그의 동생의 무덤을 열라 하시는 주님의 말씀에는 '그가 죽은 지 벌써 나흘이나 되었나이다' 하는 것처럼.

특별히 우리는 정치를 하고 있는 기독교인들입니다. 그러면 우리가 움직이고 있는 정치 현장에서 하나님이 주관자이심을 드러내고 있는 것인가에 대하여 생각해보아야 합니다.

모르드개는 그 민족의 위기 앞에서 자신들을 구할 유일한 분이 하나님이시다는 고백을 했고, 그 고백에 합당한 행동을 했습니다.

그리고 그의 권유를 받은 에스더는 죽음을 걸고서 황제 앞에 나아갔습니다.

그리고 역사 속에 하나님은 행동하셨습니다.

우리는 날마다 이런 성경을 읽으면서 오늘날 우리가 살고 있는 현장에서는 하나님께서 손 떼고 계시다고 생각하고 있는 듯합니다.

다니엘에 대하여 얘기하면서도 다니엘의 선택은 우리 삶에 없을 때가 많습니다. 그는 자신이 믿는 하나님을 향해 기도 드리기를 멈추지 않았고 그 하나님이 온 세계를 주관하고 계심을 믿었고, 그 믿음에 합당하게 행동했습니다.

아브라함은 그의 아들 이삭을 잡으라는 하나님의 말씀에 순종했습니다. 그래서 믿음의 조상이 되었고, 그는 그 믿음 때문에 의롭다 하심을 받았습니다.

그러나 그 믿음들은 모두 행동을 수반하고 있었습니다.

기독교가 종교입니까? 교회 안에만 하나님이 계십니까? 그렇다면 교회에 나갈 이유가 없다고 봅니다. 혼자 참선을 하는 것이 낫습니다.

교회 밖에 주님이 계십니다. 그래서 종교가 아니라 실제 상황인 것입니다.

우리는 이 믿음, 하나님이 실제로 살아계시고 만유를 주재하고 계시다는 믿음이 있는 것인가에 대하여 의문을 가져야 합니다.

이것이 없다면 우리는 입과 마음이 다른 신앙 생활을 하고 있는 것입니다.

하나님이 만유의 주재이시다고 사람들 앞에서 말할 수 없다면 이는 주님을 부끄럽게 생각하고 있다는 증거입니다.

자신의 신앙을 부끄럽게 여기고 있는 것입니다.

136. 수양의 기름보다 순종이 낫다

인류 역사는 하나님의 교육의 역사라고도 볼 수 있습니다. 성경은 의로 교육하기에 유익합니다.

모든 성경은 하나님의 감동으로 된 것으로 교훈과 책망과 바르게 함과 의로 교육하기에 유익하니 이는 하나님의 사람으로 모든 선한 일을 행할 능력을 갖추게 하려 함입니다.(디모데후서 3장: 15-17)

어려서부터 성경을 알고 크면 큰 유익이 있습니다. 온갖 잘못된 지식이 난무하는 속에서 제대로 된 지식을 만나기는 쉽지 않습니다. 온갖 스승이 있는 속에서 더욱 그렇습니다.

하나님은 사울을 교육시키신 적이 있으십니다.

사울에게 사무엘은 이렇게 말씀했습니다.

하나님은 우리의 순종을 원하십니다.

우리가 하나님께 드릴 수 있는 가장 값진 것은 그 분이 하라고 하시는 일을 하는 것입니다.

오늘날 하나님이 우리에게 원하시는 순종은 무엇일까요?

자신의 이름을 부끄러워 하기를 원하실까요?

부모가 어느 때 가장 슬퍼하겠습니까?

자식을 잘 키워서 그가 높은 자리에 올라갔는데 그를 찾아갔더니 허름하고 늙고 추한 모습의 부모님을 부끄러워 한다면 슬퍼하지 않겠습니까?

오늘날 하나님은 이런 분이 아니실까요?

우리가 오늘의 이 모습을 갖게 된 것은 하나님이 주시지 않으셨으면 불가능한 것인데 사람들 앞에서 그 하나님을 드러내는 것을 부끄러워하는 것은 아닐까요?

137. 낮은 데서 넘어지면

낮은 데서 넘어지면 약간의 상처가 나는 것으로 끝날 때가 많지만, 높은 곳에서 넘어지면 죽음에 이르는 경우들도 생긴다.

그래서 높이 오를수록 더욱더 조심해야 한다.

하지만 사람이란 교만하기 쉬워서 이런 법칙을 금방 잊게된다.

역사상의 많은 인물들이 그 최고의 권좌에 올라서 가장 비참한 최후를 맞는 경우들이 있었다.

우리 공의당은 지금 낮은 자리에 있다.

그러나 항상 이런 진리를 잊지 않고 있어야 영원히 주님의 길로 갈 수 있을 것이다.

138. 지도자가 되길 구하는 것에 신중해야 하는 이유

나 혼자 몸만 이끌며 살다가 실패를 하게 되면 나 혼자 망하게 된다.

그러나 여러 사람들을 이끌다가 실패를 하게 되면 여럿이 함께 망하게 된다.

우리는 주변에서 이런 일들을 많이 보고 있다.

자영업을 하다가 망하면 자기 가족 정도 선에서 고통의 선이 한정된다.

그러나 중소기업을 하다가 망하면 그 파장은 더 커진다.

대기업은 더 그렇다.

정치, 종교 등에 있어서도 마찬가지이다.

그래서 지도자가 되는 것보다 더 중요한 것은 그런 자질을 갖추는 것이며, 지도자가 되어서 결코 실수하지 않을 수 있어야 하는 것이다.

그래서 모세는 그렇게 오랜 기간 훈련받고서야 지도자로 쓰이게 되었을 것이며, 요셉도 그런 연단을 통해 지도자의 자질이 갖추어졌을 때, 이집트 총리가 될 수 있었을 것이다.

오늘날 우리는 고통을 겪고 있다.

그러나 이 고통은 지도자가 되기 위한 연단의 과정임을 잊지 말아야 한다. 개인적으로나 국가적으로나.

이런 자의식을 가지고 고통을 달게 받고 적극적으로 자기 단련을 해갈 때 우리는 지도자의 위치에 오를 수 있을 것이며, 진정한 섬기는 지도자가 될 수 있을 것이다.

139. 창조와 진화

학교 현장에서 가르쳐지는 진화론으로 인해 기독 학생들은 큰 시험에 든다. 그러나 그럴 이유가 없다. 먼저 진화론, 다윈이 쓴 진화론을 직접 읽어보길 바란다. 우리의 하나님이 거짓이라면 우리는 믿을 이유가 없다. 진실이라면 파보면 파볼수록 더욱더 그 진리가 드러날 것이다.

따라서 더 열심히 진화론에 대해 공부하고, 만물을 관찰하고 과학을 연구해야 한다.

기독교가 먼저 서양으로 전파되었음에도 불구하고 거기에서는 다시 진화론이 만들어지고 그것이 전파되어졌고, 우리의 교육에도 막대한 영향을 미치고 있다.

교육만이 아니라 우리 생활의 근간이 되는 측면도 많다.

창조되지 않고, 우연히 그렇게 생겨났으니 각자가 자기 소견에 옳은대로 살면 된다. 그래서 무질서가 이 땅에 이렇게 충만한 것이다.

진화론은 어리석은 것이다. 많은 학식을 가진 과학자들이 만들어낸 것이지만 오히려 어린아이만도 못한 우매함이 그 사상의 근저에 있다.

만물이 만들어지지 않고 홀로 생겨날 수 있는가?

진화론이라는 학설도 스스로 생겨난 것인가? 아니다. 그 학설마저도 만들어진 것이다.

시계와 같이 간단한 기계도 누군가 설계를 해서 만들었기에 그 설계대로 움직여진다.

자동차는 조금도 복잡하다. 이것도 누군가의 치밀한 설계를 통해 만들어져서 그렇게 움직이고 있는 것이다.

하물며 이들보다 훨씬 더 복잡한 시스템을 가지고 움직여지고 있는 사람의 육체, 우주 등이 우연적으로 생겨났다고 하는 것은 비논리적이며, 비합리적이다.

동양의 주역에서조차 조물주가 계심을 고백하고 있다.

만물을 자세히 고찰하고 얻은 동양 선인들의 깨달음이다.

그리고 이들은 그 조물주께서 선하신 분이시다는 깨달음도 얻었고, 그분의 뜻대로 선하게 살면 인생이 형통해진다는 것도 깨달았다.

이들에 비해 서양의 진화론자들은 어리석다고 볼 수 있다.

지금 학교에서는 진화론에 기반하여 과학 교육이 이루어지고 있다. 정치학, 경제학 등 인문 사회과학도 그 기저에 진화론적 배경이 있다.

이제 주역의 깨달음이라도 회복해야 한다.

그러지 못하면 혼돈하고 공허하며 흑암이 깊음 위에 있는 일들이 이 땅에 지속적으로 반복될 것이다.

그래서 현재 많은 석학이라고 하는 사람들도 인류의 갈 방향에 대해 뚜렷한 대답을 내어놓지 못하고 헤매이고 있는 것이다.

온 곳에 대해 알지 못하는데 갈 곳을 알 수 있겠는가?

다윈은 죽었다.

마르크스는 노동의 가치 회복에 그 희망이 있다고 보았다.

미셸푸코는 우리를 데리고 헤매이며 가끔 촛불만을 보여줄 뿐이다.

하버마스는 대안이 공론장의 회복에 있다고 보았다.

그러나 하나님을 찾지 못한다면 우리는 여전히 창조 이전의 혼돈 상태에 머물러 있을 수밖에 없을 것이다.

140. 종의 기원 - 다윈

이 책을 직접 꼭 읽어보아야 한다. 학교에서 진화론을 배울 때 미리 이 책을 읽어야 한다.

아마도 근대 세계에서 종의 기원처럼 국제 사회에 커다란 영향을 미친 책도 적을 것이다. 생물학 관련 책이면서도 정치 경제 군사 분야에 심대한 영향을 미쳤으며 그 영향력은 오늘날까지도 계속되고 있다.

세계화의 근저에 깔려 있는 철학도 종의 기원이 가지는 세계 인식에 기반하고 있다고 본다.

다윈은 이 책을 통해 개별 종이 창조된 것이 아니라 끊임없이 변화하여 지금 상태에 이르렀다고 주장한다. 그 변화 과정의 핵심은 최적자 생존론이다.

여러 변이 종들 가운데 경쟁과 환경에 가장 잘 적응하고 종의 번식을 확산시킬 수 있었던 종만이 살아남았다고 본다.

그러면 그 증거가 되는 중간 변종이 지질학적으로 남아있지 않은 것은 어떻게 된 것인가에 대해 반증을 하면서 이는 지질학적 증거의 빈약성으로 인한 것이지 그것 자체가 없었기 때문이 아니라고 한다.

다윈은 다양한 자료를 통해 자신의 논리를 증명해가고자 한다. 그래도 그의 책이 고전화된 것은 바로 이러한 다양한 자료를 통해 증명을 시도했기 때문일 것이다.

개별적으로 보면 상당히 일리가 있는 논리를 가지고 있다. 그러나 그가 가진 논리의 전체적 맥락을 보면 문제가 있음을 알 수 있다.

최적자 생존은 왜 존재할 수 있는 것인가 하는 점이다. 이것은 자연 스스로 가진 것인가? 아니면 그 시스템 자체가 생명체에 주어진 것인가 하는 점이다.

바로 이 점에서 다윈은 그 시스템 자체를 스스로 가지고 있다고 보는데 이것이 그의 오류가 된다. 동일 시스템이 다양한 종을 지배하고 있다는 것은 외재적 설계의 증거라고 볼 수 있다.

하나님이 자연 전체를 살리기 위해 이 시스템을 도입하셨다고 본다. 즉 어느 정도의 유연성을 각 종들에 허락하신 것이다.

다윈은 책의 중간에 자신이 시초 창조에 대해 따져볼 수 있는 지식을 가진 것은 아니며 다만 종들이 변해간다는 것을 토대로 지금의 종들이 이렇게 창조되지 않았다고 주장한다고 말한다.

그는 자신의 지식의 한계에 대해 여러번 말한다. 특히 논리가 궁색해질 때도 그런다.

그러면 최적자 생존론은 근대사에 어떤 영향을 미쳤는가? 다윈은 종내에서는 타자를 살리기 위한 협조는 없다고 말한다. 오직 살아남기 위한 치열한 경쟁만이 존재한다고 한다.

자본주의의 확산과 더불어 서구 사회는 신을 떠나 자신들의 이성을 극대화하는 합리주의 사회로 접어들면서 오로지 경쟁만이 그들의 신이 된다. 특히 군사주의와 맞물려 이 운동은 증폭되어진다.

서구 유럽에서는 19세기의 세력 균형 정책은 깨어지고 20세기로 접어들면서 폭력적 지배가 확산되었고 결국 1,2차 세계 대전이 발생하게 된다.

협조와 공생보다는 경쟁만이 강조되는 지구 질서가 이 결과를 가져왔다. 아직도 그 파괴력은 계속되고 있다. 아직도 이 철학은 곳곳에 스며들어 있다. 이로 인해 아프리카, 아시아 등 제3세계 지역 등은 특히 많은 고난을 받았다. 이 과정에서 가장 혜택을 본 국가는 미국이었다. 그들은 바로 열등한 인종 흑인들과 황인들을 노예로 부리면서 자유의 깃발 아래 타인들의 자유를 짓밟으며 자본의 확대를 실현했다.

그러면 다윈의 최적자 생존론은 틀린 것인가?

그렇지 않다고 본다. 자연계에서의 최적자와 인류에서의 최적자를 구별하지 못하고 이를 그대로 적용한 근대 이성의 오류였다.

동물이나 식물 세계에서 다윈의 최적자 생존론은 타당하다고 본다. 한 종의 한 개체의 영향력의 범위는 언제나 한정되어 있다. 식물의 경우 바람에 날려간다 해도 그것이 떨어진 곳에서 또다시 타 종들의 영향을 받으면서 무한정 확산에 제지를 받게 되어 있다. 그리고 언제나 한 종은 먹이 사슬을 통해 다른 종에 종속되게 되어 있다. 그리고 지나치게 한 종이 많아질 때 먹이 사슬은 그 종의 개체수를 한정시키는 시스템이 자연계에는 존재한다.

즉 자연계는 스스로 자기 전체를 보존하는 일정한 시스템을 유지하고 있고 각 개체들은 이 시스템 자체를 변화시킬 능력은 없으며 그 시스템 속에서 적응해가거나 도태해가며, 따라서 종들의 변이가 시스템 전체를 파괴하는 일은 전연 나타날 수가 없다.

그러나 이것이 인간 사회에 적용되면 달라진다.

인간은 시스템 자체를 파괴할 수 있기 때문이다. 자연계의 종들은 그것이 아무리 강해진다 해도 도구 사용이 한정되어 그 팔이 미치는 범위에서 영향력을 행사하지만(설령 식물 중 바람에 날려간다 해도 그 지역에서 다시 이렇게 될 수밖에 없다) 인간은 1m 도 되지 않는 팔을 넘어 지구 바깥으로도 그 힘을 행사할 수 있는 능력을 지니고 있기에 그 파괴력은 상상을 초월한다.

그 파괴력은 전쟁을 통해 증명된다.

인간은 창조력을 지니고 환경에 적응해가지만 그 악한 심성은 파괴력을 가지고 전체를 공멸시킨다. 또 파괴를 입은 상대는 복수의 칼을 갈게 되고 다시 전체를 파괴하는 일을 벌이게 된다.

특히 핵무기나 생화학 무기의 개발은 이러한 현실을 앞당겼다.

원시 시대처럼 칼로 싸울 때는 많아야 한 사람의 훌륭한 전사가 한꺼번에 수백명밖에 죽일 수 없었다. 그러나 지금은 단추 하나를 누르는 것으로도 지구 전체를 날려버릴 수 있다.

자연계의 최적자와 인류의 최적자는 구별되어야 한다.

자연계에서는 가장 우량하며 종을 확산시킬 수있는 것이 최적자이지만, 인류에 있어서는 그와 함께 인류와 자연 전체를 사랑하는 자가 최적자가 된다. 그렇지 않으면 복수를 불러오는 강압이 그의 수단이 되어 결국 자신도 그 칼에 맞아 죽기 때문이다.

그래서 예수님은 온유한 자가 땅을 차지한다고 말씀하신 것이다.

동물이나 식물은 온유한 자가 아니라 강한 자가 땅을 차지하지만 인간은 온유한 자가 땅을 차지하는 최적자가 될 것임을 창조주 예수님께서는 말씀하신 것이다.

다윗의 짧은 팔이 도구 사용을 통해 골리앗의 긴 팔을 이겼는데 이는 동물계에선 있을 수 없는 일이다. 하지만 그 다윗이 땅을 차지하게 된 것은 도구 사용 능력이 아니라 영적 능력, 즉 하나님과 이웃을 사랑하는 능력 때문이었다.

자연계에서는 개별 개체의 힘의 경쟁이 전체의 성공을 가져오는 공평한 룰이지만 인류계에선 사랑의 경쟁이 전체의 성공을 가져오는 공평하고 정의로운 룰이 된다.

하나님은 이렇게 자연계와 인류계의 유지 시스템에 구별을 두신 것이다. 이것을 깨닫지 못하고 자신의 명철에 매달린 인류는 스스로 파멸의 길로 치달을 것이다.

141. 다윈은 창조주를 믿었다

 다윈은 그 책의 마지막 부분에서 이렇게 말한다.

 "생명은 최초에 창조자에 의하여 소수의 형태로, 또는 하나의 형태로, 모든 능력과 더불어 불어넣어졌다는, 그리고 이 행성이 확고한 중력의 법칙에 의해서 회전하고 있는 동안에, 이러한 단순한 발단으로 해서 이와 같이 가장 아름답고, 경탄할 만한 무한한 형태가 생겨났고, 또한 진화되고 있다는 견해에는 장엄함이 깃들여 있는 것이다."

 이 앞 구절은 '그리하여 직접으로 자연계의 싸움에서, 또한 기근과 죽음에서, 우리가 상상할 수 있는 것 중에서 가장 최고의 것은 고등동물의 산출에로 귀결되는 것이다."

 조금은 애매했던 것을 확실히 표현한다.

 그는 창조를 믿는다. 그러나 현재의 종의 형태로 창조되었다는 것은 믿지 않는다. 인간도 창조된 것이 아니라 진화되었다고 보고 있는 것이다. 그러나 그는 직접적으로 이 말을 쓰지 않는다.

 기독교적 창조론, 창세기적 창조론에는 반대하고 있다고 볼 수 있다.

 탐구하려는 다윈의 자세는 본받을 만하다. 기독교인들이 이렇게 집요하게 탐구해야 한다.

 그러나 다윈이 수시로 말했던 것처럼 알 수없는 여러 사실들, 더이상 파악할 수 없는 증거들로 가득한 세상에서 결국 우리는 추론할 수밖에 없다. 다만 더 많은 사실들을 탐구해 가면서.

따라서 마지막 추론이 얼마나 중요한 것인가!

다윈은 세계에 대한 낙관론을 편다. (p.502) 어려운 환경들을 이겨내며 지금의 종들이 만들어졌다는 것이다. 그러나 지금의 인간들을 보라.

다윈은 바로 합리적 낙관주의의 시대인이었다.

142. 다윈의 종의 기원의 여러 추가적 논점

교육 현장에서 다윈의 이론은 생물학만이 아니라, 자연 과학 일반, 그리고 심지어 정치학이나 사회과학 등에도 엄청난 영향을 미쳤기에 좀더 자세히 몇 가지 부분을 검토해본다.

1) 동물에겐 본능, 인간에게 양심

최적자 생존을 위해 하나님은 동물에게 본능을 주셨고 인간에겐 본능과 함께 양심을 주셨다.

동물은 본능적으로 그 힘을 쓰면 되지만 인간은 그 힘을 양심적으로 쓰지 않으면 전체 공멸의 길이 있기 때문이다.

2) 추가적 의문점

① 다윈의 말대로 공통의 조상에서 시작되어 변이를 계속하면서 생존 경쟁에서 살아난 것들이 현재의 종들을 형성하고 있다면 죽음 뒤의 세계가 있다는 것은 어떻게 설명할 수 있는 것인가?

② 영의 세계에 대해서도 자연도태설, 최적자 생존설로 설명이 가능한가? 아니면 다윈은 아예 영의 세계에 대해 부정하는가?

③ 발전적 방향으로 나갈 수 있는 원천적 시스템은 어디로부터 기인했는가?

④ 도덕과 진화는 어떤 관계가 있는가? 양심도 최적자 생존을 위해 진화했는가?

 다윈은 지금 죽고 없으니 그의 이론을 신봉하는 사람들이 대답해주길 바란다.

3) 이 견해는 사실이겠지만 결코 증명할 수 없다.
 다윈은 11장 생물의 지질학적 계승에 관하여 중 4.현존 형태와 비교한 옛 형태의 발달 상태에 대하여(p.384 박만규역, 삼성출판사1989년판)에서 이런 구절을 쓴다.

변이가 그다지 이르지 않은 연령에서 발생하고 그것에 상응하는 연령에 그것이 유전되었기 때문에 성체가 태아와 차이가 있다는 것을 밝히려고 한다. 이러한 과정은 태아에게는 거의 변화를 주지 않으며, 계속되는 세대간의 성체에 끊임없이 점차로 많은 차이를 덧붙여 가는 것이다. 그리하여 태아에게는, 종이 아직도 그다지 변화되지 않은 옛 상태가 자연에 의하여 보존된 일종의 그림으로서 남게 되었던 것이다. 이 견해는 사실이겠지만, 그러나 결코 증명할 수없다.

예컨대, 지금까지 알려져 있는 것 중에서 가장 오래된 포류류나 파충류, 그리고 어류를 볼 때, 그중의 어떤 옛 모양을 한 것은 오늘날의 그러한 무리의 대표형끼리의 사이에서 그다지 다르지 않다고 하더라도, 역시 분명히 정당한 강에 속해 있으므로, 척추동물의 공통된 태생학적 특질을 갖고 있는 것을 찾으려 해도 캄브리아기의 최하층보다도 훨씬 아래쪽에 화석이 풍부한 층이 발견되기까지에는 불가능할 것이다-더욱이 이것이 발견될 기회는 매우 드물다.

 지질학적 증거의 불충분은 다윈이 지적한 바가 맞다. 유물들을 퇴적시키기에는 너무도 빨리 침식되어버리기 때문이다. 그래서 모든 것을 증명할 수는 없다.
 다윈의 견해가 틀렸다고 말하는 사람들도 추론할 뿐 그것을 증명할 순없을 것이다. 다만 창조주 하나님이 살아계시다면 스스로 모든 것을 보여주실 수 있으실 것이다.

4) 단일 중심의 창조

다윈은 12장에서 단일 중심의 창조론을 말한다. 즉 한 종이 한 곳에서 창조된 후 이후 여러 곳으로 확산되었다는 것이다. 그리고 변이를 거듭하며 새로운 종들로 변천하게 되었다고 본다.

빙하기나 새, 씨앗의 부유 등을 통해 이러한 확산이 전세계로 퍼졌을 것이라고 본다.

여러 곳에서 동일 종이 동시에 창조되었다는 이론에 반기를 든 것인다.

5) 형태학을 통한 창조론 반박

다윈은 학문적 용기가 있는 사람이다. 자신이 깨달은 바를 종교적 이유로 감추지 않고 과감히 드러낸 사람이다. 그점에서 본받을 만하다.

14장의 첫 부분에서는 생물의 상호 유연에 대해 논하는데 분류의 방법, 유사적, 상사, 생물을 결합하는 유연의 성질에 대한 논의에서 종이 한 속에서부터 변이되어 왔으므로 유연이 있음을 말한다. 그래서 하나의 계통도로 모든 생물들이 위치가 나무처럼 그려질 수 있다고 본다.

이후 형태학을 통해 창조론을 반박한다. 다윈이 반박하는 창조론은 여러 지역에서 동시에 여러 종이 창조되었다는 창조론이며, 자신은 단일 중심의 창조론은 찬성하는 듯이 말한다. 그러나 여기까지는 분명히 자신이 신이 창조하셨다는 것을 반대한다는 것을 드러내진 않는다. 애매하게 처리한다.

그러나 형태학에 와서는 보다 분명히 드러낸다.

발생과정에 있는 갑각류나 다른 여러가지 동물이나 꽃에 있어서, 성숙하면 극도로 다른 것이 되어버리는 기관이 성장의 초기에서는 완전히 똑같다는 사실을 실제로 볼 수 있다는 점이 그 이유로 들어진다.

또 개개의 꽃의 꽃받침 꽃잎 수술 암술은 현저하게 다른 목적에 적합한 것인데, 왜 모두 동일한 패턴에 의해서 구성되어야만 하는가 라고 물으면서 창조론을 반박한다.

그러나 자연도태 이론에 따르면 이들 문제에 대하여 만족할 만한 해답을 줄 수 있다고 말하는데 오랜 세월에 걸쳐 계속된 변화의 과정에서 원래가 같은 것으로서 다수 반복되어 있던 요소의 일정수를 포착해서 작용하여 그것을 완전히 갖가지 목적에 적응시켰다는 것이 거의 확실한 것으로 여겨지는 것이라고 말한다. 그리고 변화의 총량은 미소한 하나하나가 연이어 일어남으로써 달성되었을 것이므로, 이런 체부 또는 기관에서 유전의 강력한 원칙에 의하여 유지된 어느 정도의 기본적 유사가 발견된다고 해서 기이한 일은 아니라고 말한다.

다윈은 세부적 관찰에서 역시 뛰어나다는 생각이 든다. 그러나 이것을 종합하여 결론을 내리는 점에서는 무리가 있다.

위의 결론이 어째서 창조론의 반증이 되는 것인가?

사람의 몸이 하나의 종으로 창조되었다면, 또 그것을 거부

한다고 하더라도 자연이 이토록 정밀하게 움직여가고 있다면 이것이 정말 스스로 그리할 수 있는 것인가?

즉 그가 반대하는 외부적 시스템의 神爲的 투입없이 이런 일이 스스로 일어날 수 있는 것인가?

생물들이 변이했다는 점은 인정한다. 그러나 그 변이가 바로 창조의 반대인가? 차를 만들었는데 그 차를 타다 보니까 차가 여러 점에서 바뀌었다고 그 차가 만들어지지 않았다고 말할 수 있는가?

이렇게 세밀한 관찰을 하고서 잘못된 결론을 내려가는 다윈의 글을 읽다보면 답답하다.

하나님은 생물들이 환경의 변화에 적응할 수 없도록 창조하시지는 않으셨을 것이다. 그 적응력으로 인하여 변한 형태를 두고서 그것이 창조되지 않았다고 말하는 것은 비논리적이다.

적응력 자체가 창조시 용인되었다고 말할 수 있다.

6) 다윈의 발생학, 흔적 기관 이해의 오류

다윈은 여러 종들의 胚를 관찰함으로써, 그 유사성을 통해 공통된 조상이 있음을 알 수 있다고 말한다. 즉 창조론이 틀렸다는 것이다.

자전거를 만든 지식이 자동차를 만드는 데 사용되지 않았을까?

하나님이 세상을 창조하시는 데 지식의 확대를 통해 활동하시지 않으셨을까?

생물은 생존할 수 있다. 그러나 자신과 같은 것을 창조할 수 있는가?

생물은 적응할 수 있다. 그러나 자신과 같은 것을 창조할 수 있는가?

잠자리는 다윈의 말처럼 너무도 완전하고 훌륭하다.(p.463) 그러나 그 잠자리가 애벌레를 낳을 수는 있어도 만들 수 있는가?

사람이 자식을 낳을 수는 있어도 사람을 만들 수 있는가?

다윈은 생물이 적응해가는 것을 관찰함으로써 창조되었음을 부정한다.

다윈의 이론이 학문적 파괴력을 가진 것은 방대한 관찰때문이다. 또 실제로 옳게 관찰한 것이 많다.

이는 상대적으로 창조론자들이 하나님의 창조를 축소 해석하여 오류를 남겼기때문이다.

마치 지구가 네모나고 움직이지 않아야 하나님이 창조주이신가?

생물이 변이하지 않고 적응 능력이 없어야 창조된 것인가? 다윈 당시의 창조론자들은 아마도 생물이 당시의 상태 그대로 창조되었다고 말하였을 것이다. 이것이 오류였다. 그러나 다윈은 그들의 오류를 신의 창조 자체에 대한 부정으로 확산시켰다. 그래서 그도 오류다.

지구가 돈다고 지구가 창조되지 않은 것이며 하나님이 살아계시지 않는다고 말하는 형태의 논리를 다윈이 취하고 있는 것이다.

흔적 기관도 마찬가지다. 흔적 기관이 다윈의 말대로 그런 이유에서 존재할 수 있다. 즉 용도가 필요하지 않게 되어 퇴화될 수 있다. 하나님이 창조하실 때 그 정도의 유연성도 피조물에 허락하시지 않았다고 본다면 창조 행위를 너무 쉽게 보는 것이다.

자연 시스템은 다윈이 밝힌 최적자 생존보다 훨씬 더 정교하다. 낮은 수준의 정교함을 통해 보다 높은 수준의 정교함이 창조되지 않았다고 말하는 것은 논리의 부족이다.

다윈은 자기 이론에 집착한 나머지 보아야 할 것을 보지 못했다.

마치 발람이 사자를 보지 못했듯이, 그러나 말은 그 사자를 보았다.

생물은 하나님의 영광을 드러낸다. 다윈은 하나님의 영광을 거두었다.

7) variation(변이), natural selection(자연 선택)

다윈의 이론의 핵심은 변이와 자연 도태다. 그러나 자연도태는 번역이 잘못되었다고 본다. 오히려 자연의 선택이다.

이 둘은 하나님이 허락하신 부분이라고 본다. 그것을 발견했다고 하나님이 창조하시지 않았다고 한다는 것은 문제가 된다.

143. 정치 교육, 선거 교육

이제 우리도 만 18세까지 선거 연령이 낮춰짐으로써 더욱 더 실질적 정치 교육이 이뤄질 수 있는 기반이 형성되었다.

서구의 여러 국가에서는 정당 가입 연령 제한이 없다. 그래 서 각 정당이 알아서 이를 정한다.

어떤 정당들의 경우 15세에 정당에도 가입해서 청소년 정 치 활동을 하게 된다.

이렇게 어려서부터 자신의 천부적 권리로서의 정치 권력 현 장에서의 활동은 선거권과 피선거권, 그리고 국가와 정부, 삼권 분립 등의 현장에서 자신의 권리와 의무를 체험함으로 써 민주적 기본 질서가 체화된 성인으로 자라나는 기초를 다 지게 된다.

우리도 더욱더 이런 개방이 정치 현장에서 필요하다.

학교 폭력 등의 문제도 이런 과정을 통해서 더욱더 건전한 방향으로 해결될 수 있고, 청소년들이 정당 활동을 통해서 자신의 철학과 사상을 구체화할 수 있고, 청소년기의 방황을 제거할 수 있다.

열정이 넘치는 청소년 시기에 지적, 영적 훈련이 바로 이런 정치 교육, 선거 교육을 통해 이뤄질 수 있다.

어려서부터, 성경을 읽는 것처럼, 헌법과 각종 법 조문들을 직접 읽고 그 문제점들을 검토하는 것은 아주 소중한 지적 경험이다.

144. 진리에서 돌이켜 허탄한 이야기를 따르리라

배웠으면 가르치기에 힘써야 한다.

가르치기를 더디해야 하지만, 깨달았으면 아직 깨닫지 못한 사람들에게 전해야 한다.

이것이 인류에 있어서 교육의 역할이다. 이것이 전도다. 종교를 전파하는 것이 전도가 아니라, 진리를 전파하는 것이 전도다.

그러니 당연히 진리를 깨달은 사람이 할 수 있는 행위가 전도다.

사도 바울은 디모데에게 말씀을 전파하라고 하시며, 때를 얻든지 못 얻든지 항상 힘쓰라고 하신다. 그리고 이 과정에 오래 참고 가르침으로 경책하며 경계하며 권하라고 하신다.

때가 이르면 사람들이 바른 교훈을 받지 않고 귀가 가려워서 자기의 사욕을 따를 스승을 많이 두고 또 그 귀를 진리에서 돌이켜 허탄한 이야기를 따르리라고 말씀하신다.(디모데후서 4장 2-4)

2021년 2월의 모습도 이와 너무도 유사하다. 유투브를 통해, 페이스북을 통해 허탄한 이야기를 마음껏 발산한다.

고속도로가 생기면 선한 사람과 선한 물품만 이동하는 것이 아니다. 인간 세계가 악해지면, 악한 사람과 악한 물품이 더 많이 이동하게 된다. 마약과 환경 오염 제품과 술이 수없이 고속도로를 통해 유통되게 된다.

무엇이 진리인가! 어떻게 진리를 구별할 것인가! 또 허탄한 이야기를 하는 사람들과 어떻게 할 것인가!

그래서 사도 바울께서는 경계하고 경책하고 권하라 하신 것으로 생각된다. 신중해야 한다.